D0591251

LES OCCASIONS PROFITABLES

Jean Hamelin

LES OCCASIONS PROFITABLES

ROMAN

LES HERBES ROUGES

Éditions LES HERBES ROUGES
900, rue Ontario est
Montréal, Québec H2L 1P4
Téléphone: (514) 525-2811

Maquette de couverture: Claude Lafrance
Illustration de couverture: Louis Muhlstock, *Empty Rooms*, 1938
© Art Gallery of Hamilton

Photocomposition: Les Ateliers C.M. inc.

Distribution: Diffusion Dimedia inc.
539, boulevard Lebeau
Saint-Laurent, Québec H4N 1S2
Téléphone: (514) 336-3941; télex: 05-827543

Distique
17, rue Hoche, 92240 Malakoff, France
Téléphone: 46.55.42.14

Édition originale
Jean Hamelin, *Les occasions profitables*
Éditions Les Écrits du Canada français, 1961

Dépôt légal: premier trimestre 1990
Bibliothèque nationale du Québec
Bibliothèque nationale du Canada

TYPO

PREMIÈRE PARTIE

1

Le son de sa voix m'était parvenu à travers une sorte de halo brumeux.

Je me retournai avec lenteur, comme si elle m'avait brusquement rappelé d'un monde étrange et mystérieux.

Je rabattis le journal, que je tenais devant moi, presque à bout de bras, déployé en ailes d'oiseau.

— Tu dis?

Décapitée par l'échancrure du journal, la tête d'Hermine m'apparut, inexpressive et terne, comme figée dans l'espace.

Elle restait là, la louche en l'air, les lèvres entrouvertes, avec sa petite figure sans beauté, ramassée autour d'un nez camus, sa chevelure noire, roussie aux extrémités par l'abus de permanentes bon marché, ses yeux d'un gris indéfini qui cherchaient avec effort à se maintenir dans un même axe de vision.

— Je dis que la soupe est prête.

La voix était lasse, usée, sans tonalité. C'était, à n'en pas douter, une voix altérée par une journée de dur frottage.

Hermine crut devoir préciser, ce que j'avais d'ailleurs très bien su discerner, que voilà trois ou quatre fois qu'elle me répétait la même phrase, laissée par moi sans réponse. Elle ne comprenait pas qu'il ne lui suffisait point de crier «la soupe est prête» pour me faire revenir des quatre coins du monde.

— Ah, la soupe est prête!

J'étais déjà sur mes pieds, cherchant nerveusement un endroit où déposer mon journal, chiffonné plutôt que replié. Hermine me l'enleva des mains et le posa sans mot dire sur la commode. Je pense même qu'elle eut comme un haussement d'épaules. Il arrivait souvent que ma femme achevât ainsi, pour couper court à mes hésitations, un geste que j'avais moi-même commencé à esquisser.

Je la regardai de biais, sans trop de complaisance, tandis que la louche remplissait mon assiette jusqu'au bord.

Il n'y a pas à dire, elle n'était pas jolie. Elle n'avait jamais été jolie. À part cela qu'elle n'avait aucune grâce. Mais cela m'était indifférent. Jusqu'alors je n'avais jamais recherché la grâce, qui me paraissait chez la femme un ornement inutile. Et fort coûteux, disait-on.

J'avais trop à faire dans la vie (mon travail à la fabrique, mes lectures, mes traductions) pour laisser happer mon attention par des choses charmantes ou gracieuses ou simplement gentilles. D'ailleurs je ne m'étais pas marié par amour, mais uniquement parce que j'étais en âge, et qu'il était bon qu'à mon âge je fusse marié.

Je lapais ma soupe sans penser à rien.

Elle s'était assise en face de moi, comme elle le faisait chaque soir. Son silence épiait mon silence. Elle regardait, on dirait sans le voir, le mouvement que faisait ma cuiller, de l'assiette aux lèvres, des lèvres à l'assiette, dans un bruissement régulier.

Car je mangeais avec système, non par goût, il va sans dire, avec des gestes qui connaissaient bien la route à suivre, qui savaient éviter les écarts inutiles, les détours superflus.

Cela avait été réglé de longtemps, entre Hermine et moi, et elle savait à quoi s'en tenir sur ce chapitre. De l'application pratique de ce système, il résultait que nos repas se prenaient dans un silence total, seulement interrompu par l'échange des mots essentiels. Le sel. Le sucre. Encore un peu de café? Merci.

À mon contact, Hermine était devenue, si elle ne l'était déjà (ce que je ne saurais dire) également systématique, mais sur un autre plan. Cette même soupe dont elle faisait si grand état, elle me la servait pour ainsi dire journellement depuis dix-huit ans, brûlante, épaisse, alourdie d'une macédoine de légumes hachés fin. Depuis notre mariage, Hermine n'avait guère varié dans sa mine; elle n'avait pas davantage varié son menu.

— Deux mille sept cent quarante-deux!

Hermine dressa vivement la tête. Je m'aperçus que j'avais lancé tout haut le résultat d'une opération qui avait dû se faire, presque à mon insu, dans mon cerveau. Pourtant elle ne dit rien. Je crois bien que depuis longtemps rien ne la surprenait plus chez moi. Elle savait que, même en dehors des heures du bureau, mon cerveau ne cessait de calculer mentalement, d'une manière quasi automatique. Les opérations de la journée me revenaient sans cesse en tête, comme des souvenirs attendris que l'esprit se plaît à retrouver.

Infatigable additionneuse, mon cerveau se résignait mal à abandonner son labeur de forçat et se refusait à arrêter sa marche, même lorsque mon travail avait officiellement pris fin.

Au dessert, je repoussai brusquement ma chaise.

— Je sais ce que nous allons faire, dis-je, comme si je me parlais à moi-même.

Elle leva vers moi un regard absent. Cette phrase que je venais de prononcer, je crois qu'elle ne l'émouvait guère plus. Je l'avais dite si souvent, et dans tant de circonstances différentes, que, pour Hermine, j'imagine qu'elle ne voulait plus rien dire.

La serviette arrachée de mon cou par un mouvement volontaire de la main venait de suivre une trajectoire capricieuse. Encore une fois Hermine vint à mon secours et compléta mon geste. Elle attrapa la serviette au passage et la rangea posément sur la table, auprès des reliefs du repas.

— Je sais ce que nous allons faire, répétai-je en haussant un peu le ton.

Rien n'y fit! Le regard qui me faisait face demeurait comme évacué.

Je m'étirai sur ma chaise, mes deux bras battant l'air tels des moulinets.

Je sentis aussitôt que, par faiblesse, j'avais laissé un sourire affleurer au coin de mes lèvres. Elle avait cru le capter au vol, comme la serviette, mais elle n'avait pas eu de chance. Je m'étais vite ressaisi. Je n'aimais guère qu'on me surprît à être moi-même satisfait de ce que je pouvais dire ou penser.

— Tu ne me demandes pas ce que c'est?

Avec maladresse, j'insistais. J'essayais d'éveiller chez Hermine un intérêt qui n'existait sans doute plus depuis longtemps pour ce que je me proposais de faire. D'ailleurs elle-même comptait pour si peu dans ma vie! Et elle le savait.

Certes elle me préparait mes repas. Elle rangeait la maison avec un soin méticuleux. Elle ravaudait mes vieux habits. Elle me reprisait mes chaussettes. Sur ces soins ménagers, rien à dire. Elle était parfaite, et je m'en trouvais somme toute plutôt content.

Mais son rôle d'épouse n'allait guère au-delà de ces menus travaux quotidiens. Il faut dire que je ne l'avais jamais admise dans l'intimité de mes pensées. De ma petite vie secrète, que je m'étais faite bien à l'abri, blottie tout au fond de mon être, elle ne savait rien. De mes préoccupations non plus, même si parfois elle feignait de se rendre compte que j'étais préoccupé. Mais s'en souciait-elle vraiment? Elle avait peu de goût à l'existence en dehors de ce qui constituait son univers à elle et cet univers était rempli par ces humbles tâches ménagères qu'elle accomplissait le plus consciencieusement du monde, à cause d'un certain sens du devoir qu'on avait dû lui inculquer très jeune.

— Je sais ce que nous allons faire…

Cette fois, je m'étais levé. Elle me regarda aller, du coin de l'œil, tandis qu'elle retirait la nappe. Je m'éloignai vers le salon où j'errai un moment parmi les peluches usées des fauteuils, sous l'œil des ancêtres que je maintenais là, pendus aux murs, par suite de je ne sais quelle obscure fidélité au culte de la lignée.

Je devais admettre qu'elle n'avait pas mordu à l'hameçon, ce qui m'étonnait. Ne rien demander, ne pas poser la plus petite question quand je savais toute cette curiosité qui lui tenaillait la langue!

— À propos, me cria-t-elle de la cuisine, ton cousin Pamphile a téléphoné, cet après-midi. Quoi? Non, je ne sais pas ce qu'il voulait.

Ah, ces quoi énervants, lancés à tue-tête des profondeurs de la cuisine!

— Il a dit qu'il rappellerait ou qu'il viendrait un de ces soirs…

Pamphile!

Que me voulait-il, celui-là? Il y avait des années que ce cousin ne m'avait rendu visite ni même donné de ses nouvelles. Pleinement accaparé par ses combines toujours un peu douteuses, sans doute m'avait-il oublié depuis longtemps au fond de sa mémoire. Que pouvait me valoir, tout à coup, ce sursaut d'intérêt?

— Pamphile? Il aurait bien pu m'appeler au bureau. Il sait où je travaille!

— Il n'avait peut-être pas ton numéro?

— Bah, j'attendrai qu'il me rappelle!

— Comme tu voudras!

C'était là le genre de conversation que nous avions, et encore d'une pièce à l'autre, sans nous voir, comme des aveugles. Puis le lourd silence des couples qui n'ont rien à se dire s'installait entre nous pour le reste de la soirée...

Je revins vers la cuisine. Hermine curetait maintenant le fond des casseroles et s'apprêtait à entreprendre, pour la dix millième fois peut-être, le lavage de la vaisselle. Toujours les mêmes assiettes, les mêmes tasses, les mêmes plats dont je connaissais les moindres anfractuosités, les moindres failles, et qu'elle me tendait par-dessus l'évier, dégoulinants d'une eau jaunâtre. Je les acceptais d'elle et les essuyais mollement, en m'efforçant de penser à autre chose. Je détestais cette corvée, mais il me fallait m'y plier de bonne grâce si je voulais expédier le plus vite possible Hermine au salon, et ensuite régner en maître absolu sur une cuisine déserte.

Comme tout ce qui intéressait les travaux ménagers, Hermine, elle, ne détestait pas la vaisselle. Elle aimait rêvasser, la lavette à la main, au-dessus de l'évier presque rempli d'une eau puissamment savonneuse, où elle plongeait assiettes et tasses d'une main experte. C'est que la vaisselle, comme le ménage et la lessive, faisait partie de ses minces attributions d'être vivant, au-delà desquelles plus rien ne semblait compter.

— Tu ne me demandes pas ce que nous allons faire?

Je suivais maintenant avec des yeux captivés le mouvement incessant de la lavette.

Elle repoussa d'un revers de main les cheveux humides de sueur qui lui retombaient sur le front.

— Qu'est-ce qu'on va faire?

Comme si cela ne l'intéressait pas et qu'elle voulait uniquement me faire plaisir.

J'étais furieux. Brusquement ma participation à la vaisselle cessa et je me mis à arpenter la cuisine de long en large, en faisant des écarts compliqués pour ne pas me heurter les tibias aux chaises.

— Cela ne peut pas durer ainsi, fis-je en donnant de la voix; il nous faut absolument sortir de cette médiocrité. De toute nécessité, il me faut trouver d'autres sources de revenus. Regarde-moi! Dix-huit ans que je suis marié et j'en suis toujours au même point. Jamais moyen d'économiser un traître sou. C'est décourageant à la fin!

Pour toute réponse, elle fit une moue boudeuse:

— Je ne dépense rien...

Avait-elle la prétention de se croire au-dessus de tout reproche? J'éclatai:

— Moi non plus je ne dépense rien! Pourtant nous avons toutes les misères du monde à arriver. Je voudrais bien, moi aussi, avoir ma maison ou mon auto, comme les autres. Mais non! Toujours trimer du matin jusqu'au soir sans espoir de rien. Ce n'est pas une vie, ça, Hermine!

Elle me regarda avec étonnement. Il y avait long-temps, à vrai dire, que je ne l'avais pas étonnée. Moi d'habitude si calme, si résigné à mon sort! Elle ne comprenait pas.

— Qu'est-ce qui te prend? Est-ce que quelqu'un t'a monté la tête?

Les mains trempées, elle brandissait presque sous ma gorge, sans trop s'en rendre compte, un couteau à la lame défraîchie qu'elle s'efforçait de faire reluire.

Au bureau il m'était difficile de fermer l'oreille, de ne pas entendre les autres causer. Lorsqu'ils en avaient la chance, les camarades ne parlaient entre eux que d'autos neuves, de maisons en construction, de sorties séduisantes, le soir, dans les clubs de nuit de l'ouest de la ville, toutes choses que ma médiocre situation m'interdisait. Je me demandais bien où ils pouvaient prendre cet argent qui leur brûlait les doigts.

Ces choses dont je n'avais jamais eu beaucoup envie me semblaient depuis quelque temps plus désirables, plus tentantes. Elles prenaient, presque à mon insu, la forme de mirages, de rêves fous que je pourrais peut-être essayer d'atteindre un jour, moi aussi.

J'étais de nouveau à ses côtés, les mains en avant, la voix tremblante. D'un geste brusque, je saisis le torchon qu'elle tenait encore à la main et le jetai avec rage sur le plancher

— Tu n'en as pas assez? Moi, oui! Après tout, on a rien qu'une vie? Tu n'aimerais pas cela, toi aussi, avoir une auto? Penses-y, Hermine. Les balades à la campagne, le dimanche, sur des routes crevées de soleil? Une maison bien à nous, avec juste ce qu'il faut de terrain?

L'étonnement d'Hermine lui faisait écarquiller démesurément les yeux qui s'affolaient désespérément à la recherche de leur axe.

— Et peut-être un jardin?

De lointaines ascendances terriennes, enfouies sous vingt ans d'une vie uniforme, tassée dans la grande ville, tentaient maladroitement d'émerger dans son esprit.

— Peut-être un jardin, repris-je avec plus d'assurance. Pourquoi pas un jardin?

Une lueur brilla un moment dans son regard. Je vis que j'avais frappé juste. Moi qui ne lui avais plus parlé de ces choses depuis si longtemps! Elle ne me reconnaissait plus!

Son corps informe, habillé d'une robe à grandes fleurs bleues d'un goût exécrable, se pencha pour reprendre le torchon qui gisait à mes pieds. Je regardai cette nuque, toujours la même sous le même chignon épais planté d'épingles, qui était courbé là, sous mes yeux. Tout juste assez longtemps pour que la haine au profil coupant s'insinuât, durable et froide, entre elle et moi.

Elle s'était relevée. L'étonnement avait disparu de sa figure pour faire place à une sorte de tristesse résignée.

— Pourquoi me parles-tu de toutes ces choses?

Elle était revenue lentement à sa vaisselle. Mais je ne me tairais pas aussi facilement que cela. Ma voix vibra de nouveau, gonflée par une colère mal contenue.

— Regarde Moineau. Il va l'acheter enfin, sa maison. Tu vas me dire que Moineau, il a eu un héritage? Sans doute! Et Bobet? Même Bobet claironne à tout venant qu'il aura bientôt sa voiture, lui aussi. Il paraît que c'est décidé. Et Pelletier! il a toujours bien un chalet d'été, même si c'est sa femme qui l'a payé! Je te dis qu'il n'y a que nous!

— Que veux-tu que j'y fasse? Tes camarades de travail ont eu plus de chance que toi, voilà tout!

Son indulgence me crispait les nerfs. La chance! Elle n'avait trouvé que cela pour excuser ma faillite à moi, en face du succès des autres. Il était facile de tout rejeter sur la chance.

Pourtant la chance n'expliquait pas tout. Il devait y avoir autre chose.

La vaisselle était rangée, propre et reluisante, sous l'armoire, Hermine rêvait devant l'évier vide.

— Ah, dit-elle finalement, Moineau va s'acheter une propriété? C'est Mme Moineau qui va faire la fière!

Je ne l'écoutais plus. Était-ce vraiment la peine d'essayer d'expliquer quelque chose à cette dinde, farcie de sottise?

Non. Je n'avais rien à attendre d'elle. Ce que j'accomplirais, je le ferais seul, sans elle et, malgré elle, s'il le fallait…

Mais quand? Comment? J'aurais été embarrassé s'il m'avait fallu alors me répondre à moi-même.

2

Je la sentis qui me suivait du regard…

Silencieusement, j'ouvris la porte du placard et j'endossai mon paletot d'un air renfrogné, qui décourageait les questions.

Pourtant elle n'ouvrit pas la bouche. Son regard muet disait assez combien elle réprouvait cette sortie inusitée.

À la dérobée, la main déjà appesantie sur le bouton de la porte, je lui lançai un «je sors» qui n'admettait pas de réplique.

Dehors, un air vif me fit relever en frissonnant le col usé de mon paletot. Je sentis tout de suite que j'aurais dû revêtir mon manteau d'hiver, comme Hermine n'aurait pas manqué de me le recommander, si je lui en avais laissé la chance.

Je m'engageai résolument dans la rue, afin de me couper toute velléité de retraite. Je l'imaginai dans mon dos, dissimulée derrière le rideau du salon, qui guettait de tous ses yeux la direction que je prendrais. Le froid de novembre me montait le long des jambes. Je hâtai le pas.

Je ne savais pas encore trop bien où j'irais. Pourvu que je fusse dehors et que je sentisse le vent me fouetter le visage, je n'en demandais pas davantage. Être délivré de cette présence que je sentais sourdement hostile, il ne m'en fallait pas plus pour le moment.

J'eus vite atteint la rue Ontario. De quel côté tournerais-je mes pas? Je me balançai un moment sur mes pieds. À ma droite, la masse noire de l'église paroissiale n'était guère invitante. À gauche, par contre, des magasins aux vitrines illuminées, quelques restaurants d'une fréquentation douteuse, m'appelaient du clignotement de leurs néons étriqués. Je pris finalement sur ma gauche.

Je le connaissais par cœur ce quartier ouvrier de Montréal que j'habitais depuis ma petite enfance. Chaque porte, chaque devanture m'était familière. Je traversai deux rues, puis de guerre lasse je poussai la porte d'un restaurant où il m'arrivait parfois de m'arrêter. Un air chaud et lourd, puant la graisse rance et les frites, m'accueillit en même temps qu'une musique assenée à dose massive par un juke-box. Quelques habitués assis au comptoir détournèrent à peine la tête pour voir qui entrait. Je m'écrasai sur une banquette et je commandai un café qu'une serveuse au tablier crasseux, aux lèvres outrageusement rouges, m'apporta aussitôt, en doublant d'une voix rauque l'air à la mode craché par le juke-box.

Non, vraiment, je n'avais pas eu de chance.

Au fond de moi-même, j'étais forcé de m'avouer qu'Hermine avait raison. Ce quartier pauvre où j'étais né, ça n'avait pas été pour me faire démarrer sur une bonne piste dans la vie. Ma mère était morte alors que je n'avais que quatre ans. Je portais toujours sur moi sa photographie qu'on avait imprimée sur des cartes lourdement bordées de noir où, en dessous de sentences consolatrices de saint Paul et de saint François de Sales, on invitait à prier pour elle. Un beau sourire de jeune femme cerné à l'intérieur de cette bordure lugubre, c'était tout ce que je connaissais de ma mère.

Mon père, rude ouvrier au masque sévère, ne s'était jamais remarié, une tante au sourire rare ayant pris charge du ménage. Les aînés s'étaient peu à peu dispersés et la famille, privée de son centre et de sa raison d'être, ne s'était pas reformée. Devenus adultes et s'étant mariés chacun de son côté, mes frères et sœurs ne se visitaient pour ainsi dire pas. Du moins ne me visitaient-ils plus depuis longtemps...

De mon enfance chagrine, je ne me rappelais que mes études à l'école paroissiale. Elles ressortaient dans une grisaille que la soif et le plaisir d'apprendre ne parvenaient pas à dissiper. Des escaliers aux marches creusées par trois ou quatre générations d'élèves aux pieds traînants, de fortes odeurs de latrines mal entretenues, des jeux tristes dans une cour pluvieuse ou maculée de neige boueuse, des bancs de travail durs et malpropres, c'était tout ce qui émergeait de la période de ma vie consacrée à ce que l'on appelait avec emphase mon éducation.

Oh, c'est que j'avais été un bon élève! Généralement en tête de classe, je recevais à chaque fin de mois une bourrade amicale de mon père, lorsque je lui présentais mon bulletin de notes, qu'il signait pesamment, comme un élève appliqué.

Mais où cela m'avait-il mené? Au sortir de l'école, les places étant rares, j'avais dû me contenter tout d'abord d'un emploi de garçon de course dans une épicerie, ce qui m'avait cependant permis de connaître la joie de gagner.

Un camarade rencontré à point m'avait permis d'entrer dans une fabrique de tissus en qualité de messager de bureau. Au bout de quelques mois d'apprentissage, j'entrai au service de l'expédition. Je n'en suis jamais ressorti depuis lors, occupant divers postes d'une importance médiocre jusqu'à celui de commis qui est maintenant, et depuis longtemps, le mien.

La vie haletante de cette vaste fabrique était si intimement liée à ma vie propre que, sans m'en rendre compte, à travers toutes ces années que j'embrassais aujourd'hui d'un œil désabusé, il me semblait que je n'avais pas vécu ma vie à moi, mais plutôt la vie d'une union exigeante, qui m'avait sans que je m'en aperçusse, ravi les meilleures années de ma jeunesse. C'est au service de l'expédition que j'avais d'ailleurs fait la connaissance d'Hermine. Nous nous sommes fréquentés durant un an et demi, puis je l'épousai.

Tout à coup je me sentis las et je voulus être ailleurs, loin d'Hermine, loin de l'usine, loin de tout. Mais je chassai bien vite cette pensée.

— Je me demande bien ce que peut me vouloir Pamphile…

À mon insu, cette idée me trottait en tête.

Je cherchais à me rappeler, non sans peine, l'année où j'avais épousé Hermine.

Je la revoyais dans sa robe blanche, la tête couronnée d'un voile qui voltigeait au vent dans un gai matin de juin. Tout au fond de mon souvenir, je croyais discerner un visage radieux. Non, ce n'était pas possible. Hermine ne pouvait être cette fille franchement pas mal après tout, que je revoyais à mon bras, il y avait de cela vingt ans. Mes camarades d'alors, presque tous dispersés depuis, m'avaient complimenté sur sa bonne mine, sur son air mutin, et je m'en étais senti tout fier. Hélas, c'était un leurre: Hermine ne pouvait pas avoir été ni si jolie, ni si fraîche, ni si tentante par ce gai matin de juin de l'année 1937.

— Regardez-la donc maintenant!

Je me surpris à parler presque à haute voix. Heureusement personne ne paraissait avoir entendu.

Je me passais la main sur les yeux.

Malgré moi, cette idée m'obsédait.

— Si je l'appelais? Si je n'attendais pas qu'il m'appelle? Après tout, c'est peut-être important?

L'image d'une Hermine jolie, et fraîche, et tentante dansa de nouveau devant mes yeux. Pamphile, Hermine… j'allais de l'un à l'autre sans savoir où poser mon esprit.

Pour ma part, j'en étais sûr, j'avais joué franc jeu. Extérieurement, je n'avais guère changé. Je n'avais pas plus de cheveux en ce temps-là qu'aujourd'hui. J'avais souffert de calvitie si jeune! et mes lunettes, qui précédaient des yeux atteints très tôt par une forte myopie, je les portais aussi à l'époque de mon mariage. Toute la faute était sur elle, évidemment.

Je l'avais toujours tenue à l'écart de mes problèmes et j'avais eu raison de le faire. Je n'avais pas été long à me rendre compte que cette petite femme noiraude au regard en diagonale ne comprendrait jamais rien à rien. D'ailleurs je ne l'avais pas aimée bien longtemps. Six mois? Pas davantage, en tout cas. L'avais-je même jamais aimée? Je me le demandais parfois…

— Rien ne m'empêche de l'appeler. Si Pamphile qui ne doit jamais poser de geste inutile, a pris la peine de vouloir prendre de mes nouvelles, c'est peut-être qu'il a de bonnes raisons?

Je consultai ma montre. Voilà bien trois quarts d'heure que j'étais là à rêvasser devant ce café refroidi.

Je me levai précipitamment. Je jetai la monnaie sur le comptoir et me dirigeai vers la porte.

Près de la sortie, la cabine téléphonique béait toute grande. Je n'avais pas le numéro du cousin, mais le bottin usé par mille mains graisseuses bâillait lui aussi de toutes ses pages sales, aux coins racornis. Avec l'adresse, je trouverais facilement. Des Pamphile Lasonde il ne devait pas y en avoir des milliers, d'autant que le nom était rare.

Je fis un pas vers la cabine, puis je m'arrêtai.

— Non, pas tout de suite…

Demain… j'appellerais demain, au bureau, en cachette d'Hermine. Cela valait mieux ainsi.

Je sortis. L'air piquant du soir faisait un contraste trop grand avec l'atmosphère surchauffée du restaurant. Je serrai mon manteau contre mon corps et fis quelques pas. Je me sentais plus calme. Il serait plus sage de rentrer à la maison. Je saurais bien encore une fois taire mon angoisse…

Rejetée dans l'ombre par les néons, la masse noire de l'église restait silencieuse autant qu'imprécise. Je m'engageai sur ma droite et repris le chemin du logis. Une faible lueur s'échappait de la fenêtre du salon. Sans doute Hermine était-elle, comme tous les soirs depuis trois ans, accroupie dans un fauteuil, face à l'appareil de télévision qu'il m'avait bien fallu, de guerre lasse, lui procurer.

À mon entrée, elle leva la tête et esquissa un faible sourire. Je lui rendis son sourire et la fixai avec plus d'attention.

Non, je devais le reconnaître, elle n'avait jamais été jolie. Là aussi mon souvenir me mentait. Il ne coïncidait plus avec la vérité de ma vie.

Dans la tristesse morne de la cuisine, je repris le journal que le repas du soir m'avait fait délaisser…

Onze heures passaient lorsque j'allai me coucher. Peu après, Hermine rendit l'appareil à son silence et vint s'étendre contre mon flanc.

Je la sentis qui se glissait le long de mon corps et qui tentait d'épouser la forme de mes membres.

Je ne répondis pas à cette attente et feignis de dormir. Je l'entendis soupirer plusieurs fois, puis s'endormir.

C'est alors que je dus m'endormir moi aussi...

3

Les sursauts énervés des additionneuses rivalisaient avec le cliquetis sec et régulier des machines à écrire. Ils emplissaient la vaste pièce d'un bruit assourdissant que je ne remarquais plus depuis longtemps, mais qui avait vite fait d'exaspérer les rares visiteurs qu'on admettait au service d'expédition.

C'est que la grande période de l'inventaire était arrivée, point culminant d'une année particulièrement chargée. On commençait à en parler trois mois d'avance, avec des soupirs mal résignés, l'inventaire étant pour chacun l'occasion d'heures de travail supplémentaires chichement payées et dont on sortait comme vidé de toute énergie.

Un grand cahier verticalement rayé de lignes bleues était ouvert devant moi. De l'index gauche, je suivais les longs alignements de chiffres tassés à l'intérieur des colonnes, tandis que de la main droite, sans presque avoir à lever les yeux dessus les chiffres, j'actionnais l'additionneuse étonnamment docile à ma volonté.

Ce travail fastidieux, qui consistait à totaliser les stocks de marchandises inscrits dans les livres, ne me répugnait pas. Tandis que mes camarades, Moineau, Bobet et les autres, pestaient contre l'inventaire, je trouvais dans ce surcroît de travail une sorte de stimulant que je goûtais comme une volupté. Plus j'avais, sur mon bureau, de travail accumulé devant moi, plus je goûtais de satisfaction. Je pouvais alors me lancer à corps perdu dans l'ouvrage, m'épuiser à la tâche, ne serait-ce que pour contenter le plaisir très vif que je prenais à me mesurer avec des difficultés qui paraissaient inouïes à d'autres. J'étais sûr, en outre, que mon zèle infatigable finirait bien un jour ou l'autre par être signalé à l'attention de mes supérieurs.

Il y avait près de vingt ans que j'attendais, de la part de la compagnie, une marque d'encouragement qui tardait à venir. Oh, certes, M. Baxter, le gérant, m'avait bien confié, en quelques circonstances, que l'on était fort content de mon travail, qu'on me tenait en plus haute estime que les autres employés du service de l'expédition, que la compagnie me considérait comme l'un de ses employés les plus dévoués et que je pouvais espérer, quelque jour prochain, me faire une situation enviable au sein de cette firme dont les filiales et la puissance rayonnaient à travers toute la province.

Jusqu'ici, cependant, ces encouragements ne s'étaient pas traduits par de sensibles augmentations de traitement ou par des promotions significatives. Je comprenais très bien, comme M. Baxter me l'avait déjà expliqué, qu'on ne pouvait déplacer Marois, le chef de service, ou même Pelletier, son adjoint, dans le seul but de me caser. D'ailleurs, la compagnie était intransigeante sur le chapitre de l'ancienneté: Marois et Pelletier étaient de vieux serviteurs et à moins d'une insubordination grave dont ils ne paraissaient pas devoir se rendre coupables, on tenait à les maintenir en place. Certes, on aurait bien pu me changer de service, lorsque des vacances s'étaient créées ailleurs, mais chaque fois la compagnie avait comblé les vides en faisant venir d'une de ses filiales un employé subalterne, presque toujours de langue anglaise. Chaque occasion ainsi manquée de prendre de l'altitude dans le service de la compagnie était le signal de véhémentes récriminations de la part d'Hermine, à qui j'avais fini par cacher les vacances qui se produisaient. Malgré tout, la petite fleur espérance continuait de pousser ses racines et je croyais fermement qu'un jour viendrait où j'aurais moi aussi ma chance. Il suffisait de patienter. En attendant, je demeurais commis à petit traitement, légèrement inférieur à ce que gagnait un tisserand le moindrement expérimenté.

Je pouvais ruminer au-dedans de moi-même toutes ces choses sans que mon travail en fût le moins du monde gêné. Mes opérations n'étaient point défectueuses pour autant et les totaux obtenus par l'additionneuse coïncidaient infailliblement avec ceux du grand livre à couverture rouge.

— Ludger! Ludger!

Je sursautai.

Quatre, cinq, six voix lançaient mon nom, crié aux quatre coins de la salle, par-dessus le vacarme des machines.

— On te demande en avant!

— Ça fait vingt fois qu'on t'appelle!

C'est drôle, je n'avais pas entendu mon nom proféré, à plusieurs reprises, semblait-il, par l'intercom.

Le cliquetis des machines à écrire avait cessé. Les additionneuses, à l'invite de ma propre machine, s'étaient tues elles aussi. Les dactylos, les doigts en l'air, me dévisageaient d'un air curieux.

Je m'engageai dans le couloir, en achevant d'enfiler mon veston, et me dirigeai d'un pas hâtif vers le bureau de la téléphoniste.

À peine avais-je poussé la porte du hall que Pamphile vint vers moi, la main tendue, avec dans la voix une gaieté qui, dès l'abord, me parut surfaite.

— Je te dérange?

— Pas du tout... c'est-à-dire que c'est l'inventaire, et que je suis un peu débordé de travail en ce moment. Je peux te consacrer tout de même quelques instants...

— Ce ne sera pas long, je te le promets. J'ai appelé chez toi, hier; tu n'étais pas là.

— Oui, ma femme m'a dit cela...

Pamphile m'avait pris sous le bras et m'entraînait vers le divan massif que l'on réservait d'habitude aux visiteurs.

— Elle est bien, ta femme? Elle a paru me reconnaître!

— Oui, oui, elle est bien...

À la cordialité forcée de Pamphile, je répondais par une froideur prudente et calculée qu'il dut remarquer, mais il n'en fit rien paraître.

Tandis qu'il parlait avec l'animation dont il était coutumier, je le considérais avec plus d'attention. C'est qu'il avait changé, le cousin, depuis le temps où, petit fonctionnaire à l'hôtel de ville, il ne gagnait pas plus de trente dollars par semaine, c'est-à-dire guère plus que moi à l'époque. Des doigts gros et courts qui s'agitaient sans cesse au-dessus de cuisses puissantes, un ventre débordant une large ceinture brune d'un cuir de qualité, une moustache fine et lisse, parfaitement taillée, c'était bien le Pamphile que j'avais connu autrefois, mais arrondi aux angles et criant la bonne santé.

D'un bref mouvement de hanche, il se débarrassa de son lourd manteau de chat sauvage et découvrit ainsi un complet d'une gabardine de prix, d'une coupe ample et dégagée. La chemise était impeccablement blanche et le col bien tiré. Aux manchettes brillaient deux énormes boutons dorés figurant des canards au vol; je me rappelai que le cousin était un passionné de la chasse.

Une cravate aux couleurs criardes était retenue à la chemise par une épinglette en forme de fusil de chasse. Elle disait assez l'ascension rapide du cousin dans un monde où la sobriété vestimentaire est mal portée, sinon déconsidérée.

Quelques mots sur le temps qu'il faisait, sur ma bonne mine (j'étais plus pâle et j'avais les traits plus tirés que jamais) permirent à Pamphile d'éviter dès l'abord le sujet qui l'amenait.

— Cigare?

Je refusai: je ne fumais pas. Depuis mon mariage, je me privais de cigarettes par stricte mesure d'économie et j'avais d'ailleurs imposé à Hermine la même privation.

Pamphile parlait avec une assurance qui voulait dissimuler son embarras, mais il n'y réussissait qu'à moitié. Pour ma part, je ne portais qu'une attention distraite à ce qu'il disait. Derrière son bavardage, les cahots de l'additionneuse continuaient de résonner dans mon cerveau, y formant des sommes fantastiques dont le total échappait à mon esprit, privé du contact physique de la machine, que j'imaginais poursuivant toute seule à ma place de folles opérations. Si la machine allait se tromper et anéantir des journées et des journées d'un travail aussi méthodique qu'acharné?

— J'ai quelque chose pour toi...

Je revins à la réalité. Devant moi, deux lèvres charnues venaient de laisser échapper une bouffée de fumée qui m'aveugla.

— ... quelque chose qui est, comme qui dirait, dans tes cordes. Enfin qui t'intéressera. Du moins, je l'espère!

Il était maintenant courbé en avant. Ses yeux d'un bleu tendre cernaient mon regard, s'efforçant à le subjuguer. Je sentais, balayant ma figure, mon souffle court et haletant. Je fis mine de reculer, mais son regard durci me suivit, se rapprocha du mien, me coupant tout espoir de retraite.

— Tu dois avoir des loisirs, chez toi, le soir, à la maison?

Je fis une moue qui ne voulait dire pas plus oui que non. Il insista.

— À propos, qu'est-ce que vous pouvez bien faire, le soir? Vous ne devez pas sortir bien souvent, ta femme et toi?

— Rarement. Ma femme n'aime pas sortir. Moi non plus d'ailleurs.

— Alors qu'est-ce que vous faites? Ah oui, vous devez sans doute regarder la télévision!

Un gros rire sonore avait secoué la ceinture brune. Les prunelles disparurent derrière des paupières bourre-lées de graisse.

— Moi, je lis, tu dois t'en douter un peu... Je lis même beaucoup. Comme je te dis, nous sortons peu...

— Dans ce cas-là, tout ira bien. Tu es mon homme.

Les gros doigts velus s'abattirent lourdement sur mon épaule. C'était, me sembla-t-il, en même temps qu'une marque de cordialité une prise de possession qui me fit frémir, sans trop que je susse pourquoi.

— J'aurais besoin, reprit-il sur un autre ton, de quelqu'un pour me faire des discours. Alors, j'ai pensé à toi.

Il prit le temps de s'éponger le front et continua:

— Tu as de l'instruction. Tu dois savoir comment tourner ça, un discours? Moi, quand je m'essaie à faire des phrases et à mettre ça sur le papier, on dirait que ça veut pas marcher. Et puis, j'ai pas le temps! Qu'est-ce que tu veux? J'ai bien essayé quelquefois, mais quand on est pas fait pour une chose! Tiens, toi, si on te demandait de brasser de grosses affaires, tu serais vite perdu? Même chose pour moi. Quand je me retrouve devant une page blanche, crac, je sais plus quoi écrire.

Il s'arrêta comme s'il était déjà rendu au bout de son idée. Puis il poursuivit, mais sans se hâter:

— Évidemment, je te dirais quoi mettre dans mes discours. Autrement...

La ceinture tressauta de nouveau. Les yeux s'amenuisèrent. Les traits du visage se détendirent. Derechef il rit.

Il me revint alors que, depuis quelque temps, j'avais vu le nom de Pamphile mentionné de plus en plus fréquemment dans la rubrique politique des journaux. Lorsqu'il avait été élu marguillier de sa paroisse, il avait même fait paraître sa photo dans *La Presse*; je savais qu'une charge de marguillier est souvent le premier échelon qui mène à la politique active.

— Des discours. Mais pourquoi faire des discours? repris-je. Est-ce que par hasard tu n'aurais pas l'intention de te présenter aux prochaines élections provinciales? Je croyais que c'était la politique municipale qui t'intéressait?

— Pas assez payant, la politique municipale. On perd son temps à discuter avec un tas de cornichons qui ne comprennent rien à rien. Moi, je vise plus haut. Aux dernières élections, tu sais, j'étais l'organisateur de M. Beaubien, notre député. Il ne se représente pas pour raison de santé, et j'ai de bonnes chances d'être choisi comme candidat du parti dans le comté. Le chef me connaît personnellement et les petits services que j'ai eu l'occasion de rendre, du temps de M. Beaubien, m'ont fait remarquer de lui. À part ça qu'il y a aucun risque. Le comté est absolument sûr.

— Et tu voudrais que je te fasse tes discours?

Je m'étais arrêté, songeur. L'offre de Pamphile tombait mal. Ce régime qu'il venait me proposer de défendre n'avait jamais été le mien et bien que je suivisse de fort loin la chose publique, je le combattais avec assez de violence lorsque des discussions s'élevaient au bureau, ce qui, à l'approche des élections surtout, était presque quotidien. Les lois antisyndicales du régime, la corruption qu'il répandait largement autour de lui, l'espèce d'isolement dans lequel il tendait à placer la province par rapport au reste du pays, tout me répugnait dans la politique du parti au pouvoir.

— Je me demande si je pourrai, balbutiai-je après quelques minutes d'hésitation. Même si je ne sors pas souvent, je ne dispose pas de beaucoup de temps...

— Allons, allons, pas d'histoires! Tu peux pas me refuser ce petit service? Et puis, tu seras très bien payé. Tu peux me demander ce que tu voudras, tu l'auras.

Je voulus tenter quelque résistance devant une offre qui, j'étais forcé de le reconnaître, me paraissait alléchante dans la situation où je me trouvais.

— Je croyais, repris-je, que tu savais déjà que je suis loin d'être un disciple de ton chef, comme tu l'appelles, et que je suis loin aussi de le porter dans mon cœur... Pourquoi, sachant cela, viens-tu me proposer de faire tes discours?

— Ne me dis pas que tu te laisserais arrêter par des scrupules de ce genre-là?

Il se leva et jeta son cigare. Il était presque scandalisé, je crois. Il avait perdu son sourire du début et une ride soucieuse barrait son front.

— Écoute, Ludger. Je te demande pas d'être pour mon chef, ni même d'être pour moi. Tu as tes idées et je les respecte. Tout ce que je te demande, c'est que tu me rédiges mes discours. Un point, c'est tout. Tu voteras ensuite comme tu voudras, cela me dérange pas le moins du monde!

Je voulus protester.

— Quand même, si je parle contre mes idées, cela ne sera pas tout à fait honnête, ni pour toi, ni pour moi?

Pamphile s'était rassis au bout de son siège, cette fois. Il voulait, je le sentais, montrer sa volonté de régler rapidement la question. La tête en avant, les mains bien étayées aux cuisses, il me demanda brutalement, écartant tout sentiment de délicatesse:

— Veux-tu, oui ou non, faire de l'argent? Si tu en as pas besoin, évidemment, moi, ça me regarde pas. Tout ce que je voulais, c'était te faire gagner quelques piastres! À toi plutôt qu'à un autre! Maintenant, si tu veux pas, je peux pas te forcer...

Il s'était levé de nouveau. Peut-être s'apprêtait-il déjà à partir? Je pris peur et le retins d'un geste de la main.

— Non, attends...

Évidemment, tout pouvait s'arranger. Il fallait tout de même voir... Il est vrai que si ce n'était pas moi qui les faisais, ces discours, ce serait un autre. Et puis, comme me l'avait fait observer Pamphile, j'avais toujours le loisir de voter pour qui je voulais... Ma liberté de citoyen ne subissait comme telle aucune atteinte. N'y aurait-il pas lieu d'être satisfait de semblable arrangement? Il me semblait que oui, maintenant...

— Si je te demandais cinquante dollars par discours, fis-je, est-ce que ce serait trop?

— Je t'offre le double. Cela te va? Et il m'en faudra une dizaine, au moins. Alors tu vois la galette que tu peux te faire?

Les chiffres dansaient une ronde joyeuse devant mes yeux. L'additionneuse et le service de l'expédition étaient loin, perdus là-bas dans mon dos. J'avais besoin de tant de choses dont je me privais depuis des années! Une petite voiture allemande, une maison de campagne, des vacances prolongées sur une plage américaine... Tout cela sautait à la fois à mon esprit, sans compter les choses que

35

l'énervement me faisait oublier, mais dont j'avais également envie... D'un autre côté, il y avait cette cause à défendre qui n'était pas la mienne, à laquelle j'avais toujours été si farouchement opposé. Comme la vie savait vous placer dans de drôles de situations et présenter, au lieu du bon, le mauvais visage de la chance!

Pamphile s'était rapproché, guettant ma réponse qu'il devinait favorable.

— Alors c'est oui?

— J'accepte, fis-je après un court silence.

Deux minutes plus tard, j'étais de nouveau à mon bureau et j'actionnais l'additionneuse avec une vigueur accrue. Les cahots de la machine atteignirent bientôt à une sorte de frénésie qui fit lever toutes les têtes.

Un moment, encore une fois, les doigts des dactylos avaient suspendu leurs battements mécaniques. Des regards, je l'avais senti, s'étaient échangés dans mon dos. Des propos avaient circulé à voix basse, de bureau à bureau.

Penché sur le grand livre à couverture rouge, je n'entendais rien. Rien d'autre que la voix séduisante de l'espérance qui tentait de s'insinuer entre la machine et moi...

4

— Fichu inventaire!

Hermine bougonnait entre ses dents en passant une dernière fois en revue l'accoutrement bizarre que j'avais revêtu ce matin-là, comme chaque année à la fin de novembre, pour me rendre à mon travail: grosses bottes de similicuir doublées de peau de mouton, coupe-vent à carreaux rouges et bruns alternés, énormes mitaines de peau, le tout surmonté d'une imposante casquette à palette bleu marine. L'inventaire était le prétexte de cette mascarade, qui donnait à penser que je me rendais aux sports d'hiver plutôt qu'à mon bureau.

— Tu es bien sûr que tu n'auras pas froid?

Mon bien-être physique avait toujours été au centre des préoccupations d'Hermine. Que je fusse bien nourri et bien au chaud, et elle avait la satisfaction d'avoir accompli envers moi l'essentiel de ses devoirs d'épouse…

Je sortis. Il y avait longtemps que je n'embrassais plus Hermine le matin, lorsque je quittais la maison. Il y avait tout aussi longtemps, probablement, qu'Hermine ne s'apercevait plus de cet oubli, qu'elle devait mettre sur le compte de la distraction ou des soucis toujours plus nombreux qui semblaient hanter mon esprit.

Malgré l'embarras que me causait cet étrange accoutrement, je ne déviai point de mon itinéraire qui me faisait retrouver chaque matin, sans jamais les perdre, mes pas de la veille. Depuis dix-huit ans que je refaisais, presque chaque jour, le même trajet, je ne me permettais jamais la moindre dérogation à un itinéraire que j'avais rationnellement établi, dès notre retour de voyage de noces, parce que je l'avais jugé le plus pratique pour me rendre de mon nouveau domicile à mon bureau. Hermine, qui devait me suivre du regard, postée derrière le rideau de la porte d'entrée, savait que rendu au troisième poteau je quitterais le trottoir pour traverser la rue en diagonale et arriver exactement à la hauteur de la boîte aux lettres qui marquait l'angle de la rue Ontario.

J'en revenais à mes réflexions des derniers jours et je me félicitais de ne pas avoir parlé tout de suite à Hermine. Valait mieux attendre d'être sûr. On ne sait jamais. Si Pamphile allait changer d'idée? Si le parti allait choisir un autre candidat? D'ailleurs avec les questions dont elle n'aurait pas manqué de m'accabler, Hermine m'aurait certainement mis en retard. Et cela il ne le fallait pas. À aucun prix.

À l'arrêt du tramway, quelques personnes que je voyais presque chaque matin au même endroit, me considérèrent avec surprise. Je crus remarquer que des regards amusés flottaient sur ces figures d'habitude peu enclines à sourire, à une heure si matinale de la journée. L'obligation de gagner leur vie remettait chaque matin sur tous ces visages des airs renfrognés et maussades. Elle durcissait les traits, fronçait les sourcils, alourdissait les fronts...

Le trajet ne fut, ce matin-là, ni plus long, ni plus court que de coutume. Je fus bousculé par la foule bigarrée de travailleurs taciturnes et d'écoliers tapageurs qui me servaient habituellement d'escorte. Chaque arrêt du véhicule était l'occasion d'une nouvelle ruée de voyageurs qui me portaient toujours plus loin vers la sortie arrière. Ces ballottements à gauche, puis à droite, n'étaient pas faits cependant pour me distraire de mes préoccupations. J'en avais pour dix bonnes minutes avant de descendre au terminus. J'avais donc tout le temps de penser librement.

Avec l'aide que m'apporteraient Bobet et Moineau, l'inventaire ne durerait pas plus de trois jours. Je n'aimais guère cette partie du travail qui consistait à aller vérifier dans un entrepôt non chauffé, les stocks de marchandises inscrits dans les livres du service de l'expédition. Je devais dénombrer les ballots, selon la catégorie du tissu, et voir ensuite s'ils figuraient bien dans les livres. C'était un travail pénible et ennuyeux, compliqué par le fait que la marchandise entreposée ne coïncidait pas toujours avec les données des livres. Il fallait alors déceler l'erreur et on y mettait souvent plusieurs heures que je considérais comme perdues pour des tâches vraiment utiles...

Bobet et Moineau étaient déjà arrivés quand je pénétrai dans l'entrepôt. C'était une vaste pièce quadrangulaire où régnait un froid humide et malsain, qui flottait entre d'interminables alignements de ballots cerclés de fer et enveloppés d'une toile rugueuse.

Lorsque Bobet et Moineau me virent venir, ils se turent et prirent un air embarrassé dont je ne tins pourtant aucun compte. Au contraire, je décidai de hâter le travail.

— Alors on commence?

J'étalai les livres dans le petit bureau poussiéreux de l'entrepôt où nous irions nous chauffer quelques instants lorsque le froid deviendrait intolérable.

— Ce qu'il peut être pressé celui-là!

C'était Bobet qui avait marmonné entre ses dents. Je feignais de ne pas avoir entendu et je me mis à la tâche sans attendre son bon plaisir. Souple et grand garçon dégingandé, Moineau avait déjà escaladé un amoncellement de ballots. Il criait les lettres et les chiffres que je vérifiais, crayon en main, dans le livre ouvert devant moi. Cela sonnait comme un étrange jeu de hasard un peu ridicule: B 27... B 323... C 40... C 9!... Les lettres d'appel se répercutaient dans la salle immense, couraient le long des ballots, pour aller mourir contre un mur ou un alignement.

La matinée se passa à cette tâche fastidieuse. Tout avait bien été jusque-là. On n'avait pas encore relevé d'erreur grave et si le travail continuait à aller de cette façon, on pouvait espérer terminer la besogne avant trois jours. Le nez dans mes livres, je n'avais pas vu passer l'heure. Aussi fus-je surpris d'entendre Bobet crier tout à coup:

— On arrête? Moi, j'ai faim!

Il avait été le dernier à se mettre à l'ouvrage, il était maintenant le premier à vouloir tout plaquer là pour aller manger. Il dégringola d'une pile de ballots, puis le moment d'après disparut à l'angle d'un alignement.

Moineau consulta sa montre

— Midi moins quart. Nous pouvons bien faire halte?

Ce disant, il venait vers moi. Il s'arrêta, puis regarda autour de lui comme s'il craignait que quelqu'un ne l'entendît.

— Attends un peu... Nous irons manger plus tard. Viens par ici, j'ai à te parler.

Il se laissa bientôt tomber sur un ballot. La matinée avait été fatigante, je dois l'admettre. J'avais refusé que l'on prît un seul instant pour se reposer, mais était-ce bien la fatigue qui lui donnait cet air préoccupé qui était si peu dans son caractère?

— Ce que j'ai à te dire est assez grave, fit-il.

Son regard, de sévère qu'il était, devint presque dur.

Je me sentis pâlir. Je redoutais depuis quelques jours ce genre d'entretien particulier avec Moineau car je savais où cela me mènerait. Quelques conversations surprises par hasard, au bureau, m'avaient renseigné sur ce qui se préparait.

Une pensée me traversa l'esprit comme un éclair. Je me sentis flageoler sur mes jambes.

— Tu as su quelque chose? On veut me congédier? C'est cela, n'est-ce pas?

La panique qui se lisait sans doute sur mon visage força Moineau à un rire qui éclata spontanément.

— Mais non! Qu'est-ce que tu vas chercher là!

Depuis près de vingt ans que j'étais à la compagnie, ça avait été ma grande peur d'être congédié. Quand les choses allaient mal au bureau, la crainte du congédiement me donnait des sueurs froides, la nuit, dans mon lit. Je savais qu'à la compagnie on ne s'embarrassait point de convenances lorsqu'il s'agissait de remercier les employés qui en prenaient le moindrement à leur aise avec les règlements. Ceux qui avaient cessé de plaire aux chefs de service pouvaient aussi s'attendre à être congédiés à une journée d'avis, et sans possibilité de recours. Je me rappelais non sans horreur des congédiements massifs d'employés souvent fort anciens à la compagnie...

— Non, il ne s'agit pas de toi, reprit Moineau, mais cela te concerne quand même de très près, comme nous tous d'ailleurs.

J'étais loin d'être rassuré. Qu'est-ce que celui-là allait encore m'annoncer de fâcheux? Au moment où tout commençait à bien aller pour moi, où j'avais plus que jamais confiance en l'avenir?

— Cela est donc si grave?

41

— Oui, c'est grave, fit Moineau qui s'était rembruni. Voilà. Les choses ne peuvent plus aller de ce train-là bien longtemps. Hier encore, Belleau a été renvoyé sous un prétexte futile. Nous n'avons plus à la compagnie aucun moyen de nous protéger contre l'arbitraire. Toi, moi, n'importe qui, pouvons être mis à pied du jour au lendemain sous le motif le moins fondé. Actuellement, je te le répète, nous n'avons à notre disposition nul moyen de nous défendre dans la légalité…

— Et alors?

— Nous n'avons plus qu'une chose à faire: fonder un syndicat. Seul un syndicat nous procurerait la protection nécessaire.

C'est l'argument que je redoutais entre tous car je connaissais la chanson. Néanmoins je voulus tergiverser:

— On a essayé par deux fois dans le passé, dis-je, et ça n'a pas marché. Je sais bien comme toi qu'un syndicat pourrait nous être utile. Pourtant…

— Si cela n'a pas marché dans le passé, coupa Moineau en se levant, c'est que les employés des divers services n'ont pas voulu former un front commun. Les intérêts particuliers de chaque service ont constamment pris le pas sur l'intérêt général et la direction a toujours fait de ses pieds et de ses mains pour semer la division dans nos rangs. Ce temps-là est révolu. Les choses ont changé.

— Mais les employés du bureau sont plus difficiles à syndiquer que les tisserands, fis-je remarquer. Ils sont si individualistes!

— Aujourd'hui, reprit Moineau, ce n'est plus une objection. Toutes proportions gardées, nous gagnons moins cher que les tisserands. Cela ne peut pas durer indéfiniment.

Je réfléchissais. Peut-être l'initiative avait-elle du bon? Et si elle avait quelque chance de réussir? Il y avait surtout un élément du problème qui ne pouvait me laisser indifférent.

— Mais un syndicat, cela veut dire des augmentations de salaires?

— Naturellement. Une de nos premières revendications serait un rajustement des salaires, qui ne correspondent plus au niveau actuel du coût de la vie.

Je ne sentais presque plus les morsures du froid. Un moment, Moineau resta silencieux. Avec la pointe du pied, il décrivait, sur le plancher de bois sale de l'entrepôt, de petits cercles concentriques.

— Tu serais prêt à marcher avec nous?

Il avait dit cela avec détachement, en évitant de me regarder en face.

— Cela dépend, fis-je au bout d'un instant d'hésitation. S'il n'y a pas trop de risques...

La réaction fut vive. C'était comme si je l'avais giflé. Il me saisit brusquement aux épaules et me secoua rudement.

— Écoute, Ludger, nous avons besoin de toi et tu vas te joindre à nous, que tu le veuilles ou non. Tout le service de l'expédition est dans le coup et plusieurs employés des autres services sont gagnés à notre cause. Tu ne peux pas faire constamment bande à part. Tu vis en société, ne l'oublie pas, mon vieux.

Je me taisais. Je m'avouais intérieurement qu'il avait peut-être raison. De toute façon, il aurait été malhabile de ma part de me dissocier de mes camarades sans savoir d'abord si l'entreprise pouvait avoir des chances de succès. S'ils allaient réussir, cette fois, alors je ne voudrais pas être en reste. Je n'étais pas défavorable à l'implantation d'un syndicat à la compagnie et en fait il n'y avait que le risque de congédiement pour me faire hésiter.

Moineau avait desserré son étreinte et s'était éloigné de quelques pas. Finalement ce fut moi qui repris:

— Qu'attendez-vous au juste de moi?

— Que tu assistes à une réunion préliminaire qui aura lieu mercredi chez Bobet, dans sa cave.

Il se tut, puis ajouta à voix basse, sur le ton de quelqu'un qui veut hâter les choses:

— Alors c'est oui? Tu viendras?

Je restais en proie à l'incertitude.

— Je ne sais pas encore. Je ne peux pas te donner de réponse tout de suite, comme ça. Bien sûr, je suis plutôt favorable à l'idée, mais ça tombe mal. J'ai beaucoup de travail de ce temps-ci, le soir, à la maison, et je me demande si mercredi...

— Ton travail attendra, c'est tout. Il faut absolument que tu sois des nôtres, tu m'entends?

Il se faisait plus pressant, mais d'un autre côté, je me sentais mal à l'aise d'être ainsi bousculé. J'avais l'impression que Moineau voulait me forcer la main et qu'il attentait presque à ma liberté de décider par moi-même de mon propre avenir.

— Je te laisse jusqu'à demain pour réfléchir. Tu auras tout le temps de penser où se trouve ton véritable intérêt.

— C'est bien. Je te donnerai ma réponse demain.

— Salut.

Il était déjà loin. Je le regardai qui s'en allait d'un pas rapide et résolu. Pensif, je me dirigeai vers le petit bureau de l'entrepôt où j'avais laissé mon lunch, le matin, à l'arrivée.

Je commençai à manger en silence. Irais-je à cette réunion? M'abstiendrais-je? Quel était le parti de la sagesse? Faisait-il route commune avec celui de l'intérêt? J'en parlerais dès ce soir à Hermine...

Plutôt non. Comme pour les discours du cousin, je lui tairais la chose, au moins pour quelques jours. Quels conseils pouvais-je espérer d'Hermine? Elle n'avait jamais rien compris à ces choses. Il était préférable, encore une fois, de la laisser dans l'ignorance de mes préoccupations.

5

On m'avait placé au deuxième rang, sur la tribune, face à l'auditoire. Un peu surpris de me trouver aussi en évidence, je regardais, sans trop la voir, cette masse humaine dont les têtes oscillaient de gauche et de droite, au milieu d'un écran de fumée bleue. La foule était généralement grave, attentive et comme résignée d'avance. On discutait entre soi, à mi-voix, sans encore oser se prononcer trop ouvertement.

Je me tâtai pour m'assurer que c'était bien moi qui étais là, sur cette tribune, bientôt assis aux côtés d'hommes politiques influents, pour lesquels j'avais professé jusque-là le plus entier mépris. Par contre, je m'attendrissais à l'idée de me retrouver dans un paysage qui m'était familier. Paysage aux murs de plâtre craquelés, noircis par les ans, aux cases d'acier dont des élèves négligents avaient oublié de fermer les portes et qui révélaient aux regards indiscrets leurs trésors oubliés de coupe-vent en lambeaux, de foulards maculés, de couvre-chaussures éventrés, de vieux caoutchoucs perdus...

Décidément, cette salle de l'école paroissiale n'avait guère changé depuis le temps de mon enfance. À croire qu'on n'y avait jamais fait le ménage depuis. Je frissonnais en songeant que c'était dans cette affreuse bâtisse sale,

47

sombre et malodorante qu'on avait pourvu à mon éducation, qu'on avait jalousement veillé sur ma bonne conduite, qu'on avait voulu laisser germer en pot mon esprit, afin qu'il ne prît point au-dehors de mauvaises racines.

Cette chance que me fournissait Pamphile de m'élever au-dessus de moi-même, de me réaliser au-delà de la vie médiocre que j'avais menée jusqu'ici, n'était peut-être pas à dédaigner si elle signifiait le salut possible, par-delà Hermine, par-delà les camarades, par-delà une enfance misérable? Quant aux principes que j'avais professés et qui m'étaient apparus jusque-là immuables, eh bien, mon Dieu, j'avais toujours le temps d'aviser. On verrait bien, plus tard…

Pamphile avait manifesté le désir que j'assiste à cette assemblée qui suivrait le choix du candidat du parti et il m'avait été difficile de me dérober. Le cousin pouvait cependant dormir tranquille; il avait reçu de l'organisation centrale toutes les assurances concernant le choix que ferait l'assemblée. On avait pris soin d'écarter toute autre candidature, bien qu'un médecin du quartier jouissant d'une grande popularité parmi les ouvriers eût résisté jusque-là à tous les arguments. Mais que le docteur Gagnier laisse ou non porter son nom devant les délégués du congrès, il était clair que Pamphile serait choisi haut la main par les délégués et qu'il aurait ainsi l'occasion de prononcer le premier discours que j'avais rédigé pour lui. Peu sûr de ses dons encore naissants d'orateur politique, il avait, contre la coutume ordinaire, tenu à avoir sous la main un texte écrit, plutôt que de se hasarder dans une improvisation aventureuse qui aurait pu tourner à son désavantage.

— Viens entendre toi-même comment cela sonnera, m'avait-il dit au téléphone. Cela t'aidera pour les autres. Je te ferai réserver deux chaises sur l'estrade.

Je promenai autour de moi un regard circulaire. Les visages qui m'entouraient m'étaient complètement inconnus. Je ne pus me défendre, à l'égard de ces hommes, d'une sourde hostilité et je ressentis au-dedans de moi-même une certaine crainte. Les autres, qui ne me reconnaissaient pas pour un des leurs, me considéraient aussi avec méfiance. Qu'étais-je venu faire dans ce milieu auquel, parfois malgré des sollicitations pressantes, j'avais toujours évité soigneusement de me mêler et où je me sentais en ce moment comme un étranger? À vrai dire, dès ce moment, la tentation avait été forte pour moi de saisir mon chapeau et de m'en aller. Mais je me ravisai. Pamphile pourrait avec raison s'en trouver mécontent. En outre, je n'avais guère à me plaindre. Je devais reconnaître que ce premier discours, que j'étais tout de même curieux d'entendre, m'avait été payé rubis sur l'ongle. J'avais donc tout intérêt à dominer ma répugnance. Il fallait que je comprisse, une fois pour toutes, où logeait mon véritable intérêt. C'était l'occasion ou jamais, je le sentais confusément, de tenter la chance, qu'elle fût bonne ou mauvaise.

La tribune se garnit rapidement et la salle fut bientôt comble. Il ne restait plus une chaise libre. Les premières rangées étaient occupées par les délégués au congrès, le reste de la salle étant abandonné aux partisans sûrs, mais qui n'avaient pas droit de vote pour le choix du candidat.

Les deux groupes étaient d'ailleurs fort dissemblables. Au premier rang, se remarquaient surtout des hommes jeunes, dont les vêtements trahissaient un accès récent à la prospérité. C'étaient les enfants chéris du régime, dont ils avaient su profiter sans trop se gêner. Leur succès pouvait se lire aisément sur leurs cravates aux agencements de couleurs baroques, aux motifs criards. Ils parlaient entre eux haut et fort, s'agitaient sur leurs chaises,

49

se levaient pour donner des poignées de mains et supputer les chances des candidats. En dépit de leur extérieur bourgeois, c'étaient des êtres grossiers, au langage vulgaire, et qu'aucune vergogne ne semblait devoir arrêter. Malgré une vue mauvaise, je crus reconnaître parmi eux des gens influents du quartier, quelques professionnels arrivistes, des marchands, des garagistes, des vendeurs d'autos usagées, des propriétaires de clubs de nuit.

L'autre groupe, qui n'avait pas droit à des sièges, masquait tout le fond de la salle et s'avançait sur les côtés presque aux degrés de la tribune. Il était, de toute évidence, composé d'ouvriers et de petits employés. Ceux-là ne semblaient pas vouloir se prononcer trop catégoriquement. Ils fumaient placidement pipes et cigarettes, parlaient peu, haussaient les épaules avec scepticisme.

C'était le fort contingent des partisans, qui n'avaient aucune voix au chapitre et qui ne se faisaient pas faute, à l'occasion, de critiquer ou de moquer les têtes dirigeantes du régime. Cependant, soit par conviction, soit par intérêt, ils l'appuyaient quand même de leur vote. Depuis vingt ans et plus, ils étaient habitués à se faire imposer un candidat par l'organisation centrale, sans qu'on leur permette seulement d'ouvrir la bouche. Parfois ils faisaient mine de résister et affirmaient fièrement leur désir d'indépendance. Mais, à la moindre alerte, ils rentraient rapidement dans le rang et votaient aveuglément pour le candidat que le parti leur désignait, quel qu'il fût. Lui ou un autre, peu leur importait au fond. Que ce fût un homme influent et débrouillard qui pourrait, lorsqu'ils en auraient besoin, arranger leurs petites affaires ou leur obtenir quelque privilège, c'est tout ce qu'ils demandaient. Qu'il s'enrichît aux dépens de la collectivité une fois élu, cela ne les troublait guère. Ils lui en auraient presque voulu de ne pas le faire. Ne l'eût-il pas d'ailleurs fait qu'ils l'auraient tenu pour un imbécile qui ne savait pas saisir l'occasion quand elle passait. Aussi lorsque, tout à l'heure, le candidat du parti allait être proclamé, ce seraient eux qui crieraient le plus fort leur enthousiasme.

Une vibrante clameur ébranla tout à coup la salle, qui se retrouva debout. L'unanimité se faisait d'abord par les pieds, avant d'unir les bouches dans une même acclamation. C'était l'entrée des personnalités déléguées par l'organisation centrale et en tête desquelles il me fut facile de reconnaître Pamphile, qui salua l'assistance d'un geste large de la main. Les délégués avaient clairement manifesté, dès ce moment, leur préférence; autant dire qu'ils avaient déjà fait leur choix.

Au passage, Pamphile plongeait dans les rangées de délégués ou de partisans pour serrer des mains. Puis il gravit les degrés de la tribune et les acclamations redoublèrent d'intensité. Arrivé près de moi, il me sourit et me murmura à l'oreille:

— Tu vas voir l'effet que va faire ton discours! Formidable!

Il n'avait jamais été si aimable avec moi.

— Ta femme n'est pas là?

Déjà d'autres mains à serrer l'empêchèrent d'attendre la réponse, qui ne vint d'ailleurs pas.

Une angoisse inconnue me saisit à la gorge. Il me semblait maintenant que toute la salle me regardait avec désapprobation, que tous ces ouvriers qui étaient là, massés à l'arrière, me reprochaient obscurément quelque vague trahison...

Les choses allèrent rondement. Le nom de Pamphile fut proposé le premier et une telle clameur l'accueillit que le choix du congrès paraissait déjà fait. Pourtant, à l'arrière de la salle, un petit groupe lança le nom du docteur Gagnier. Il ne recueillit que quelques applaudissements épars. Aucun des délégués n'avait bougé. Le petit groupe insista, mais le président déclara sans ambages que le privilège de proposer les noms des candidats revenait aux seuls délégués.

Quelques interrupteurs tentèrent vainement de faire entendre une protestation, criant que les délégués avaient été choisis arbitrairement, mais les huées de la salle les forcèrent au silence. Pamphile fut immédiatement proclamé candidat du parti à l'unanimité sans que l'on jugeât nécessaire d'enregistrer d'autre candidature ou de recourir à un vote. Entre-temps, des fiers-à-bras avaient rendu à la salle son unité en expulsant cavalièrement trois ou quatre récalcitrants.

Je considérais toutes ces manœuvres avec un reste d'inquiétude. Je connaissais bien le médecin dont le nom avait été lancé par quelques partisans et j'étais sûr qu'il représenterait le comté beaucoup mieux que Pamphile ne saurait jamais le faire.

Mais voici que le candidat élu s'adressait maintenant à ses partisans. Je me sentis rougir jusqu'aux oreilles lorsque j'entendis retentir, portées par de puissants haut-parleurs aux quatre coins de la salle et probablement aussi à l'extérieur, les pauvres phrases que j'avais péniblement édifiées sur quelques lieux communs que Pamphile m'avait fournis. Déformées par la mauvaise prononciation de l'orateur, amplifiées par les haut-parleurs, les phrases me semblaient émaner d'un autre, vidées de leur sens, stupides. J'en eus presque la nausée.

Parfois je ne reconnaissais plus mon texte. Jugeant sans doute mon enthousiasme par trop modéré, Pamphile avait renchéri sur les termes. Il avait ajouté de son cru des adverbes et des adjectifs excessifs qui donnaient à mes phrases une force que je ne leur soupçonnais pas et qui soulevait dans la salle des vagues d'applaudissements bruyants. Il était clair que Pamphile avait dépassé outrageusement ma pensée et me faisait dire des choses que je n'avais jamais écrites. Il connaîtrait sûrement ma façon de penser lorsque l'occasion se présenterait...

Voici maintenant qu'il s'était rassis au chant traditionnel de «Il a gagné ses épaulettes» hurlé par toute la salle. Une longue séquelle d'orateurs devait le suivre au micro pour chanter les bienfaits du régime. Je résolus dès lors de gagner la sortie. Je quittai le siège par l'arrière, écartant quelques partisans étonnés qui me dévisagèrent avec malveillance, et je me retrouvai bientôt dans la rue. Je humai profondément l'air revigorant de la nuit et m'éloignai à pas précipités du lieu de la réunion. Les haut-parleurs continuaient à déverser dans une rue solitaire et indifférente, où seuls quelques badauds s'étaient attardés, leurs flots de paroles creuses. Les clameurs et les applaudissements qui venaient de la salle semblaient hors de mesure avec le calme blafard de ce carrefour désert, perdu dans la nuit.

6

Je l'entendais qui errait dans la maison comme une âme en peine. Privée de la télévision, son unique passe-temps, il était visible qu'elle ne savait à quoi employer sa soirée.

Indifférent à son manège, je tapais à la machine.

Je m'étais installé sur la table de la cuisine, sitôt le repas du soir terminé. C'était le seul endroit de la maison où je pouvais travailler en toute tranquillité d'esprit, Hermine fuyant dès que la dernière assiette, dès que le dernier couteau avaient été rangés dans l'armoire à vaisselle. Le salon devenait alors son fief à elle et je le lui abandonnais d'habitude sans livrer combat. Ce soir-là, je lui avais demandé par extraordinaire de ne pas ouvrir l'appareil de télévision. J'avais prétexté un important travail à achever, précisant que tout bruit extérieur était susceptible de me déranger, ce que je ne tolérerais pas.

Hermine en était restée interdite. Je m'attendais à une tempête de récriminations, mais rien ne vint. Elle était demeurée un moment silencieuse et comme figée sur place à se demander si je me rendais bien compte de l'étendue du sacrifice que j'exigeais d'elle. Pourtant elle n'avait point répliqué et avait vite battu en retraite au salon.

Je l'imaginais, recroquevillée selon son habitude dans son fauteuil, les jambes repliées sous elle, comme isolée de la vie physique de la maison. Cuvait-elle sa colère, sans trouver quoi que ce fût à répliquer, ou bien avait-elle opté pour le sage parti de la résignation? Je ne me le demandais même pas, tant j'étais pris tout entier par mon travail.

Pour un long moment, ça avait été dans le salon le silence le plus complet, à se demander même si elle y était encore. Je n'aurais pu évaluer en temps la durée de cette accalmie. Une demi-heure? Une heure? Davantage? Je n'aurais su le dire...

Tout à coup, j'entendis les savates d'Hermine, lourdes de leur tâche fastidieuse de la journée, se mouvoir pesamment dans le couloir. Je levai la tête: elle paraissait dans l'embrasure de la porte.

Sans chercher à s'en défendre, presque machinalement, elle coula un regard interrogateur vers la machine à écrire, devenue soudain silencieuse.

Elle resta là, sur le seuil, à se balancer quelque temps sur ses jambes, se demandant si je l'inviterais à rester ou si elle retournerait au salon.

Avec un profond soupir, elle se décida finalement à pénétrer dans la cuisine et, pour bien montrer qu'elle n'entrait pas sans motif, uniquement pour satisfaire sa curiosité, elle se dirigea vers l'évier. Elle fit gémir la chantepleure, s'en excusa par un grognement à peine perceptible, puis se remplit lentement un grand verre d'eau qu'elle but à petites gorgées. Je sentais qu'elle mettait tout son soin à poser des gestes feutrés, afin que je me rende compte qu'elle évitait soigneusement tout bruit susceptible de m'irriter davantage.

Je la suivis de nouveau du regard. Elle avait ouvert l'armoire, paraissant y chercher quelque chose, mais elle la referma sans y avoir rien pris. Il devenait clair qu'elle voulait rester là, sous mes yeux, à me regarder travailler. Je sentis dès lors qu'elle ne retournerait pas au salon, qu'elle ne voulait pas y retourner.

Elle prit un ouvrage d'aiguille qu'elle avait, comme à dessein, négligé de ranger dans son panier d'osier, puis s'installa dans la berceuse, près de la table.

— Je ne te dérange pas au moins ici?

La voix s'était faite humble et neutre. Un mouvement de générosité me dicta ma réponse. J'aurais sans doute préféré qu'elle ne restât pas là, mais je m'entendis qui lui disais sans animosité aucune dans la voix:

— Mais non, tu peux rester.

Je le regrettai aussitôt et m'en mordis les lèvres de dépit. C'était une première défaite, consentie presque malgré moi, contre mon gré. J'avais cédé à un vague sentiment de pitié, ce qui était ordinairement contraire à mes principes. Je sentis que j'allais m'en repentir.

Je fis un effort mental pour m'abstraire de cette présence qui me gênait et pris le parti de ne plus m'occuper d'elle. D'ailleurs le travail allait très bien. Avec un peu d'entraînement, j'en étais arrivé à constater qu'il était beaucoup plus facile que je ne le croyais d'abord de rédiger des discours politiques. Il suffisait de trouver un certain ton...

De temps à autre, je levais machinalement les yeux et j'observais Hermine à la dérobée. Elle ne semblait plus faire aucun cas de moi et paraissait maintenant se passionner pour son travail d'aiguille. Elle était résignée. Elle ne saurait rien ce soir encore de cette activité nouvelle et mystérieuse que je lui cachais depuis quelque temps.

— Tu ne prendrais pas une tasse de café? Il me semble que cela te ferait du bien...

Tiens, elle était encore là! J'avais presque fini par l'oublier! Un café? Pourquoi pas, en effet? Tandis que le percolateur lancerait ses soubresauts, j'achèverais ma péroraison. Je n'en avais d'ailleurs plus pour longtemps.

— Oui, un café me fera du bien.

Mes bras se raidirent contre la machine que je repoussai vigoureusement au centre de la table. Je me détendis un moment et la regardai. Elle me sourit timidement et je répondis à son sourire. Elle dut penser que j'étais furieusement content de ma soirée.

Je la vis de dos qui s'affairait autour de la cafetière. Pendant qu'elle pouvait fuir l'emprise de mon regard, elle en profita, tout en feignant l'indifférence, pour glisser une nouvelle tentative:

— Ça va à ton goût, ton travail?

— Mais oui.

— C'est de la traduction?

— Non.

— Ah, je croyais...

Je ne pus réprimer un mouvement d'impatience.

— Il est pourtant clair que ce n'est pas de la traduction, fis-je. Tu vois bien que je ne me réfère à aucun texte.

Et j'ajoutai plus bas, comme pour moi tout seul:

— Je compose...

Une partie de mon secret m'avait filé entre les doigts. Il était maintenant trop tard pour le rattraper.

Elle s'était retournée, les yeux écarquillés par l'étonnement. Elle ne semblait pas avoir compris. Ce qui dans son cas n'était pas nouveau. Je crus devoir ajouter:

— Oui, je compose. J'invente, si tu veux.

— Tu inventes?

Que pouvais-je inventer? Avais-je seulement une tête d'inventeur? La lumière ne se faisait jamais bien vite dans l'esprit d'Hermine!

— Tu inventes quoi? reprit-elle, obstinée.

Je ne suis pas sûr qu'il n'y eut pas quelque vanité dans ma réponse.

— Des discours. Voilà!

J'attendis une réaction qui ne vint pas. Ma vanité tombait à plat, mais c'est elle encore qui me força à préciser:

— Je fais des discours politiques, si tu veux le savoir.

Une lueur traversa les yeux d'Hermine.

— J'ai deviné, s'écria-t-elle! Tu travailles pour les élections!

Afin de témoigner de sa vivacité d'esprit, si inhabituelle qu'elle en était la première surprise, elle ajouta:

— C'est pour Pamphile, je suppose?

Je relevai vivement la tête. C'était à mon tour d'être étonné.

— Comment as-tu pu trouver ça?

C'était facile! Avec les élections dans moins d'un mois et Pamphile qui se présentait dans le comté, le joint n'était pas très malin à tirer!

— Alors tu lui fais ses discours?

De mieux en mieux. Hermine marquait des points.

— Oui, il me l'a demandé. Pamphile est absolument incapable d'écrire quoi que ce soit et comme il ne peut pas improviser non plus, il lui faut des textes. C'est moi qu'il a chargé de cette besogne.

Elle s'était repliée sur son silence. Il lui fallait digérer lentement toutes ces choses avant de chercher à en savoir plus long.

Elle sortit deux tasses de l'armoire et, toute songeuse, les déposa sur la table. J'essayais de lire dans ses pensées, ce silence appuyé étant chez Hermine le signe de la plus inquiétante réflexion.

Soudain son visage s'éclaira.

— Alors, ça doit être payant?

Voilà. Nous y étions. La grande question d'argent arrivait sur le tapis. Que ne m'étais-je tu? Qu'avais-je besoin de tout dire, et ne pas continuer à tout lui cacher?

Je ne pouvais quand même pas laisser sa question sans réponse, maintenant que l'essentiel était dit.

— Oui, assez.

— J'ai bien pensé que si Pamphile se présentait, il aurait besoin de toi. Comme tu dis, les discours, ce n'est pas son fort!

Elle s'assit à distance, sur une chaise droite, s'appliquant à faire fondre son sucre à petits coups secs, avec le bout de sa cuiller.

— C'est plutôt ton genre à toi. Pour ça, oui!

— Plus que Pamphile, en tout cas!

— C'est aimable à lui d'avoir pensé à toi. Il aurait pu donner cela à un autre et…

Elle s'était arrêtée. Puis tout à coup elle leva la tête.

— Mais j'y pense. Le parti de Pamphile, il me semble que ce n'est pas le tien? Vous ne vous êtes jamais entendus là-dessus!

J'avais osé espérer qu'elle l'aurait oublié! Mais non. Elle avait toujours de la mémoire quand il ne fallait pas. Elle enchaîna, comme si elle ne parlait que pour elle:

— Cela ne fait rien. Un parti ou l'autre, c'est la même chose. Ce qui compte, c'est d'être du bon côté. Du côté qui paye…

Elle rit. Ma foi, elle était lancée. Elle croyait sans doute tranquilliser ma conscience en s'efforçant de justifier chez moi un changement si radical dans mes opinions politiques. D'ailleurs s'agissait-il vraiment d'une volte-face? Je m'étais réservé justement le droit de voter comme je l'entendais et Pamphile savait à quoi s'en tenir à ce sujet.

Elle qui n'entendait rien à la politique, la voilà maintenant qui parlait sans arrêt. Je lui donnais d'habitude si peu de chance d'émettre des opinions que, cette fois, elle en profitait largement.

— Ceux qui sont élus, c'est pour s'en mettre plein les poches, dit-elle. Et ils font bien. Moi, si j'étais à leur place, je ferais pareil. J'espère que Pamphile va être assez fin.

Je n'avais aucune crainte là-dessus. J'étais parfaitement rassuré quant aux futures intentions du cousin qui saurait bien «faire comme les autres»...

Comme les surcharges faites à mon texte par Pamphile, la justification d'Hermine dépassait la mesure. D'abord ma conduite n'avait pas besoin d'être légitimée à mes yeux et je me sentais, je crois, la conscience en repos. Je ne trahissais rien. Si ce n'était pas moi qui les faisais ces discours, me répétais-je, ce serait un autre. Et probablement que l'autre en userait avec moins de modération. Peut-être étais-je après tout celui qui limiterait les dégâts? Cette pensée me satisfit assez.

La machine à écrire absorba de nouveau le tic-tac de l'horloge et reprit son va-et-vient percutant. Quelques lignes seulement et je mettrais le point final à cette péroraison qui, le lendemain, dans quelque école de quartier, coulerait comme miel dans des oreilles complaisantes, toutes disposées à en goûter et l'envol et la sincérité...

7

Ce ne fut pas avant la mi-janvier que la réunion de fondation du syndicat put enfin avoir lieu. La date en avait été retardée de jour en jour, depuis une quinzaine, les intéressés invoquant à tour de rôle des raisons personnelles impérieuses pour la faire différer.

C'est qu'au fond, exception faite de Moineau et de Bobet, promoteurs de l'idée, chacun craignait d'avoir à poser un geste positif, lourd de conséquences imprévisibles pour l'avenir. Théoriquement, tous favorisaient l'éclosion d'un syndicat à la compagnie, mais s'agissait-il de passer à l'action, chacun se dérobait à son tour, sous un prétexte ou sous un autre.

Un tramway et un autobus me portèrent en une demi-heure de mon domicile à celui de Bobet qui habitait une rue étroite aux maisons basses.

Au premier coup d'œil, la rue était minable et l'apparence de la maison assez médiocre. Je ne suis pas sûr de ne pas m'en être alors un peu réjoui intérieurement.

Cette constatation faite, qui me procura assez de satisfaction, je poussai vivement la porte pour échapper à l'étreinte implacable du froid.

Mon entrée donna lieu à quelques exclamations ironiques. Je crois bien qu'on avait désespéré de me voir. Ce fut un beau chorus.

— Hé, les amis! Regardez! C'est Ludger qui arrive! cria à tue-tête le premier qui m'aperçut.

— On n'attendait plus que toi pour commencer! fit un autre.

On m'entoura et Bobet m'aida à me défaire de mon paletot.

Je serrai quelques mains et m'efforçai de trouver un sourire pour chacun.

Moineau compta ses gens. Il ne manquait plus personne en effet parmi ceux qui avaient promis de venir.

Je m'avançai une chaise que je plaçai un peu en retrait, au dernier rang de l'assistance. De cette manière, je voulais faire sentir à mes camarades que je désirais me tenir en marge de leurs discussions. J'étais venu plutôt en observateur, je ne voulais pas trop m'engager, et je réservais mon opinion sur ce qui allait être débattu.

J'eus peine à dissimuler mon impatience de ce que les camarades perdaient un temps précieux à causer entre eux et tardaient à aborder de front l'objet de la réunion. Les derniers incidents de la campagne électorale (vols de boîtes de scrutin, saccage de comités du parti d'opposition, disparition de listes électorales) occupaient tous les esprits et alimentaient la conversation. Tous étaient des adversaires déclarés du régime, mais ils ne s'entendaient guère entre eux sur les moyens à mettre en action pour le renverser.

Ils s'échauffaient à discuter l'avenir de la province, avec de grandes phrases emphatiques sur la liberté et la démocratie, mais, d'autre part, ils reculaient le plus possible l'échéance qui les concernait, eux, directement. À un problème concret les touchant de près et dont ils tenaient peut-être la solution entre leurs mains, ils préféraient des discussions abstraites sur des questions dont l'envergure les dépassait et auxquelles ils ne pouvaient apporter, en tant qu'individus, aucune solution pratique.

C'étaient presque tous de petits employés assez mal rémunérés de leur travail, vivant plutôt au jour le jour et ne gagnant jamais assez pour songer à pouvoir faire des économies. Certes, quelques-uns parmi eux menaient une existence assez aisée, mais cela était dû à des causes extérieures, héritages, apport de l'épouse, parfois travail de cette dernière. Face à leur existence précaire, le syndicat se présentait comme leur unique planche de salut. Du moins le croyaient-ils.

Pour la plupart d'entre eux, c'était le seul moyen d'améliorer leur condition, et, en dépit de leurs hésitations ils sentaient confusément qu'ils devaient tenter même l'impossible pour en assurer la formation. Ils étaient parfaitement conscients du fait que si leur présence à l'assemblée venait jamais à être connue des patrons, c'était le congédiement pur et simple, sans autre forme de procès. Ils voulaient avoir confiance en eux, confiance en chacun de leurs camarades, mais leurs regards qui cherchaient à se deviner laissaient percer des motifs d'inquiétude, sinon de défiance, les uns à l'égard des autres.

Sur la prière de Moineau, ils avaient finalement abandonné leurs querelles politiques. Maintenant ils voulaient tous parler à la fois, les uns d'un ton tranquille et réfléchi, qui trahissait la gravité de la situation, les autres avec un emportement et une exaltation qui disaient assez leur désir d'en finir avec un état de choses qu'ils estimaient intolérable. Un petit nombre, dont j'étais, restait coi et laissait aux autres tout le soin de débrouiller le problème, en prenant garde de se compromettre le moins possible dans l'affaire.

La discussion fut longue, ces hommes étant peu habitués à traiter une question selon une ligne déterminée.

Il était tard quand la formation du syndicat fut décidée à l'unanimité des voix. Quant à moi, je m'étais finalement laissé convaincre et j'avais emboîté le pas aux autres. Un comité de trois membres fut mis sur pied ayant pour mission de prendre contact aussitôt que possible avec les représentants des autres services, afin de commencer immédiatement le recrutement. Mon ancienneté à la compagnie me valut d'être élu à ce comité et il me fut encore une fois impossible de me défiler. J'étais pris.

Minuit passait quand la séance fut levée à la satisfaction de tous. Pour ma part, j'en avais assez. Les plus timorés cachaient sous un enthousiasme de commande leur pessimisme résigné. C'était à peu près mon cas et il se retrouvait chez d'autres. Mais tous sentaient quand même qu'ils venaient de poser un geste positif dont ils espéraient qu'il les libérerait de leur sujétion complète à l'égard de la compagnie.

Désormais tous pouvaient s'attendre au pire...

Danièle Bobet choisit le moment où chacun s'apprêtait à quitter la cave pour se faire présenter aux camarades de travail de son mari. Personne, sauf Moineau, ne connaissait l'épouse de Bobet dont nous avions tous entendu parler cependant comme d'une femme très belle. Elle vint vers nous en roulant un peu les hanches, dans une démarche à la fois altière et chaleureuse, et donna à chacun une cordiale poignée de main.

Je fus contrarié de cette arrivée qui me retint sur le pas de la porte alors que j'étais déjà prêt à gagner la rue. J'allais me dérober quand Danièle Bobet se trouva, souriante, la main tendue, en face de moi. J'eus le temps de considérer qu'effectivement c'était une femme physiquement remarquable, mince et grande, au teint coloré, à la chevelure d'un noir profond où les ampoules du plafond, qui dispensaient pourtant une maigre lumière, faisaient se jouer des reflets moirés.

— Je sais par mon mari, me dit-elle, que vous êtes l'employé modèle du service de l'expédition...

Je ne trouvai pour lui répondre que des balbutiements incohérents auxquels elle ne prêta d'ailleurs aucune attention.

— Ne protestez pas, je suis au courant... Mon mari m'a dit...

Elle ajouta qu'elle savait que personne au bureau ne travaillait avec plus de célérité et plus de zèle que moi. Elle mentionna que, lorsqu'on avait un travail compliqué à faire c'était toujours à moi qu'on le confiait parce qu'avec moi, on était sûr que ce travail serait exécuté vite et bien. Elle conclut en me félicitant d'avoir contribué à fonder le syndicat qui, dit-elle, ne pouvait qu'améliorer le sort de tous et de chacun.

Une fois dehors, je ne me rappelai plus très bien ce que j'avais répondu aux compliments de Danièle Bobet, mais j'eus l'impression que ce devait être quelque chose de stupide, qui m'avait sans doute rendu ridicule aux yeux de cette femme. Ce qu'elle devait maintenant en rire en compagnie de son mari! Un employé imbattable aux calculs de l'additionneuse, comme cela devait lui avoir paru charmant!

Il y avait de quoi rire en effet. En remontant la rue qui me menait à l'autobus, je serrai malgré moi les poings à l'intérieur de mes épais gants de cuir, que le froid ne pouvait pénétrer. Bobet ne se contentait pas de me damer le pion en possédant sa maison, rêve que je n'avais jamais pu moi-même réaliser, mais il avait en plus de cela une femme belle, élégante et désirable, avec laquelle Hermine était incapable, sous aucun rapport, de soutenir la comparaison. J'en voulus intérieurement à Hermine d'être laide, noiraude et sans grâce...

8

Elle tournait autour de moi sans oser me poser la question qui lui brûlait les lèvres.

Lorsque je m'attardais ainsi à traîner sur une chaise, après le repas du soir, Hermine devinait que j'avais des ennuis. Il s'agissait alors pour elle de chercher à percer le mystère, tout en feignant de n'y attacher aucune importance.

Elle commença à enlever les premiers plats, tout en m'observant à la dérobée. Peut-être récapitulait-elle dans sa tête ce qu'elle avait pu observer d'étrange dans mon comportement depuis ces derniers jours? Pourtant elle n'osait intervenir ni troubler mon silence.

Elle demeurait à distance, adossée à l'évier, dans une attitude résignée. Elle espérait probablement que je finirais par me rendre compte qu'elle n'attendait qu'une chose. Que je vide les lieux, comme j'aurais dû normalement le faire.

Elle n'eut pas à attendre bien longtemps. Me sentant ainsi observé, je m'étais dressé sur mes pieds, comme si j'étais mû par un ressort. J'étais maintenant devant elle.

— Je viens encore de manquer ma chance, dis-je d'une voix sourde. Un beau mille dollars qui m'a glissé, comme ça, entre les mains. Et j'ai été trop bête pour le prendre!

Puis je me tus, attendant une réaction à cette extraordinaire déclaration. Mais elle ne dit rien, ce qui eut le don de m'irriter davantage.

Je revins à la charge, avec cette fois de la véhémence dans la voix:

— Tu comprends, Hermine? Mille dollars! Que je viens de rater! Qui se sont envolés! Que je ne reverrai plus jamais!

Elle froissait à deux mains le rebord de dentelle de son tablier fleuri; elle secouait sa crinière noire comme pour se prouver à elle-même qu'elle avait bien entendu...

Mille dollars! Ce n'était pas possible! Je devais être malade!

— Oui, oui, mille dollars! Pas besoin de me regarder avec ces yeux étonnés. Tu as bien entendu!

Je me rassis et restai un moment silencieux. Elle n'osa me demander tout de suite une explication. Comme si je lui en devais une! Ce silence prolongé laissait quand même tout le champ libre à son imagination. Ce que cette somme pouvait représenter de choses rêvées en vain, le soir, au creux du fauteuil du salon, quand du fond de la cuisine lui parvenait le crépitement saccadé de la machine à écrire...

J'étais surpris qu'elle ne se fût pas davantage exclamée, qu'elle n'eût pas tout de suite accablé notre mauvaise chance. Qu'elle n'eût pas blâmé ce qu'elle appelait mon incapacité à apprivoiser la bonne fortune...

Lorsque je me décidai enfin à parler, je ne manifestai, contre mon habitude, aucune impatience. Je parlai lentement, sans me presser, choisissant exprès des mots simples. De son côté, interlocutrice admirable, elle m'écouta, silencieuse, les dents serrées, sans m'interrompre une seule fois...

... Le matin même, au bureau, j'avais reçu de Pamphile un appel téléphonique où celui-ci se faisait plus mystérieux que de coutume. Le cousin désirait de toute urgence me parler à son bureau. Derrière le ton anonyme des mots, je l'avais deviné assez agité. Il désirait que je lui rendisse quelque grand service encore imprécisé qui me serait très bien payé.

Désorienté dès l'abord, je lui avais objecté qu'il m'était difficile de quitter le bureau pendant les heures de travail. Il ne m'était jamais arrivé de m'octroyer semblable liberté depuis que j'étais à la compagnie. Sur ses instances, toutefois, je lui déclarai finalement que j'essaierais de me libérer, s'il le fallait à tout prix.

Je posai alors, uniquement pour plaire à mon cousin, un geste que je ne m'étais jamais permis depuis mon entrée au service de l'expédition. J'allai trouver le chef du service, Marois, et lui demandai le reste de la matinée, prétextant une course urgente à faire en ville. Très étonné, Marois me regarda d'un air ahuri, comme si je lui avais demandé la lune. Il parut réfléchir un moment, retira sa visière qu'il roula et déroula cinq ou six fois entre ses doigts, puis acquiesça, en prenant bien soin de me faire remarquer que s'il m'accordait ce privilège extraordinaire, c'était uniquement parce que je ne l'avais jamais sollicité dans le passé, à l'encontre de la presque totalité des autres employés du service.

Dans le taxi que Pamphile m'avait envoyé, je me rongeais les sens sur la nature de ce très grand service qu'il attendait de moi. À n'en pas douter, cependant, cet appel d'urgence avait trait à la campagne électorale, mais le cousin n'avait pas mentionné que cela concernât la rédaction de ses discours, d'ailleurs terminée depuis quelques jours.

C'était probablement autre chose, mais quoi au juste? Si c'était un service que je ne pouvais lui rendre? Le front en sueur, les mains moires, j'en étais réduit à rejeter les points d'interrogation qui se posaient successivement à mon esprit et qui servaient de paravents à autant d'impossibilités. Je retournais toutes les hypothèses dans ma tête, comme on tortille son mouchoir de poche; je n'avais pu les examiner toutes quand le taxi me déposa rue Sainte-Catherine, près Amherst, face au bureau de Pamphile. Deux minutes plus tard, je me retrouvais assis devant un homme visiblement nerveux, qui n'en finissait plus de se dandiner derrière un immense bureau où s'amoncelait de la paperasse électorale.

Pamphile passa pourtant par-dessus le préambule habituel sur le temps qu'il faisait, sur ma santé et celle d'Hermine, pour aller au plus pressé:

— Comme je te l'ai dit au téléphone, commença-t-il d'une voix qui ne parvenait pas à se défaire d'un certain embarras, j'ai un service à te demander... Ce service, je ne te le demande pas en tant que candidat à l'élection de la semaine prochaine, mais en tant que parent. Ou en tant qu'ami, si tu aimes mieux...

Il n'avait pas la belle assurance qu'il affichait d'habitude et son regard se faisait fuyant. Il n'en essayait pas moins de faire impression sur moi, mais en cherchant manifestement des chemins de traverse.

— Si tu acceptes ma proposition, continua-t-il d'un air détaché, il y a de l'argent à faire pour toi. C'est, ajouta-t-il en pointant de l'index une enveloppe placée bien en évidence sur son bureau, mille «tomates» qui t'attendent.

Il s'arrêta un moment pour considérer l'effet que ses premières paroles avaient produit sur moi, mais je ne bronchai pas.

Il toussota et voulut se donner un air enjoué.

— Mille tomates... C'est intéressant, hein? Tu t'attendais pas à ça de la part de ton vieux Pamphile?

Je ne bougeais toujours pas. Il en fut surpris et crut de bonne politique d'insister?

— Qu'est-ce que t'en dis?

— Ce que j'en dis? C'est que ce doit être quelque chose de pas très catholique que tu viens me proposer là.

J'avais dit cela avec un sourire un peu en coin, afin de ne pas l'indisposer inutilement. Je ne voulais pas couper tout de suite les ponts, sans savoir...

— Non, fit-il, on peut pas dire que c'est quelque chose de pas catholique, comme tu dis. J'aurais pas pensé à toi! Y a assez de gens dans le parti à qui on peut confier ces besognes-là!

Il rit, mais pour lui-même, comme s'il pensait à autre chose.

— Tu parles! C'est pas ça qui manque, comme tu peux le penser, des gens de cette espèce! Surtout en temps d'élection! En tout cas, ajouta-t-il, c'est quelque chose que je peux certainement pas faire moi-même, rapport à ma candidature. Tu comprends? Autant te le dire tout de suite, c'est d'une mission... plutôt délicate qu'il s'agit. Et c'est ce qui m'a fait penser à toi.

Il rit de nouveau et sa grosse ceinture brune battit plusieurs fois le rebord de son bureau.

— J'ai pensé à toi justement, poursuivit-il, à cause de ta bonne réputation. J'en ai d'ailleurs parlé à l'organisation centrale et ça a marché tout de suite. Ils ont dit oui...

J'attendais toujours que Pamphile me dévoilât le fond de sa pensée. Ma méfiance était loin d'être endormie, bien que je me sentisse un peu plus rassuré qu'au début.

Il se fit un silence embarrassé que Pamphile ne savait comment combler. Le temps était venu pour lui de dévoiler toutes ses batteries. Il était là, penché maintenant en avant, qui jouait avec son coupe-papier, dont il faisait tournoyer la pointe dans sa main.

— C'est au sujet du docteur Gagnier, commença-t-il.

Je n'avais pas besoin d'en entendre davantage. J'étais à peu près fixé sur ce que l'on attendait désormais de moi. Cette mission délicate, je croyais déjà la connaître, avant même que Pamphile eût ajouté quoi que ce fût.

Sur le ton de la plus grande modération, il m'expliqua finalement qu'il était absolument nécessaire, à ce stade de la campagne électorale, que le docteur Gagnier se désistât en sa faveur. Malgré tous les conseils, toutes les pressions, toutes les menaces, le docteur avait obstinément refusé de retirer sa candidature. Il jouissait dans le comté, où il exerçait sa profession de médecin depuis quarante ans, d'une réputation d'intégrité qui le plaçait au-dessus de tout soupçon. Au surplus, il était très populaire parmi la classe laborieuse; il le savait pertinemment et entendait en profiter. Bien entendu, le docteur Gagnier ne se faisait pas d'illusions. Il savait qu'il ne pouvait arriver, sans argent ni organisation, à vaincre le candidat officiel du parti, mais il risquait de diviser les votes d'une façon sérieuse et de favoriser du même coup l'élection du candidat de l'opposition. C'est pourquoi il fallait le faire disparaître à tout prix.

Pamphile avait parlé avec une sorte de détachement de commande qui tâchait à masquer son anxiété.

— Il s'agit maintenant, reprit-il après une pause, de tenter une démarche de dernière heure auprès du docteur. Il reste seulement cinq jours avant le vote. On n'a plus de temps à perdre.

Je tentai de retarder par une ultime manœuvre l'échéance qui approchait aussi pour moi, où je devrais donner à Pamphile une réponse décisive.

— Vous n'avez essayé aucun autre moyen de persuasion auprès du docteur?

Les deux bras de Pamphile s'agitèrent au-dessus de sa tête.

— Pauvre petit garçon! Si tu savais! On a tout essayé! Tous ses amis sont allés le voir pour lui dire qu'il faisait un fou de lui, qu'il aurait pas trois cents votes et qu'il risquait de nous faire perdre le comté avec sa mauvaise tête. Il a voulu rien entendre. Il est en maudit, tu comprends, à cause de la convention, et il veut pas démordre.

Dans un souffle, Pamphile ajouta en sourdine:

— Une sacrée tête de cochon!

Je revins à la charge, croyant avoir trouvé un nouvel argument.

— Vous dites vous-mêmes que le docteur Gagnier ne récoltera pas plus de trois cents votes. Alors il ne constitue pas, il me semble, une menace sérieuse?

Pamphile parut un moment embarrassé, mais il ne le restait jamais bien longtemps.

— Oui, on dit ça. Mais on est jamais certain de son coup. Il pourrait en prendre davantage. Le monde est tellement bête! Moi, mon système, c'est que dans une élection, y a aucune chance à prendre.

Je le regardais et j'avais un peu pitié de lui, tout de même. J'aurais voulu de tout cœur lui rendre ce grand service qu'il me demandait, mais sans avoir à me compromettre.

— Je ne vois pas très bien, fis-je, en feignant quelque innocence, ce que moi je peux faire pour toi là-dedans!

— Mais au contraire, tu peux beaucoup, reprit Pamphile avec empressement. En notre nom, tu peux par exemple essayer de le convaincre, par le seul moyen que nous autres on a pas encore essayé… C'est bien malheureux, mais il faut en arriver là. Il y a pas d'autre solution. Enfin, moi, j'en vois pas!

— Tu veux dire… lui offrir de l'argent?

Pamphile sourit, d'un sourire absolu, total, détendu. Je lui avais évité de poser franchement le problème. Je vis à son regard qu'il m'en était presque reconnaissant.

— Et tu as pensé à moi pour cela? fis-je d'un ton changé par une irritation que je sentais monter au-dedans de moi-même.

Je me levai brusquement. Les pieds du fauteuil crissèrent sur le linoléum. Les deux paumes lourdement ancrées sur le rebord du bureau de Pamphile, je cherchais maintenant à cerner le regard fuyant du cousin.

Celui-ci se ménagea une prompte retraite. Il se rejeta carrément en arrière. Le fauteuil gémit. Il y eut un court moment de silence, puis Pamphile murmura:

— Oui, j'ai pensé à toi. Je vois pas ce qu'il peut y avoir de compromettant pour toi là-dedans. T'es un neutre! T'es même pas du parti! Tu te gênes même pas pour nous critiquer!

Il regagnait en vitesse son assurance perdue. Il en avait vu d'autres et savait comment manœuvrer avec les gens. Son sourire avait reparu sur ses lèvres et il ne paraissait pas offusqué de ma résistance, prélude à un refus qu'il devait envisager comme possible.

— Inutile de compter sur moi, repris-je d'une voix que la colère rendait mal assurée. Je ne ferai pas cette besogne-là. Tu peux la faire toi-même, si cela te chante.

Je ravalai hâtivement ma salive.

Pamphile s'oublia l'espace d'un moment.

— Tu peux être sûr que si je pouvais la faire moi-même, cette besogne-là, comme tu dis, je la ferais et j'aurais pas besoin de me traîner aux genoux de personne.

La voix cachait mal une certaine irritation. Pamphile fit une pause, prit le temps d'allumer un cigare, posément, avec sérieux, comme s'il accomplissait un geste rituel. Puis il se leva avec effort, contourna son bureau, lança une bouffée vers le plafond. Il vint se placer tout près de moi, qui venais de me rasseoir.

Je n'étais pas encore parti. Sans doute croyait-il que c'était bon signe.

— Laisse-moi t'expliquer, avant de monter sur tes grands chevaux. Tu agiras à ta guise après, si tu veux...

J'esquissai une faible protestation.

— Vous le savez bien? Le docteur Gagnier ne se laissera jamais acheter.

Le mot avait manifestement déplu à Pamphile qui avait évité jusque-là de l'employer.

— C'est pas de l'acheter qu'il s'agit, comprends donc! On veut tout simplement qu'il se retire, qu'il aille prendre l'air ailleurs, pendant quelque temps. Cela lui ferait pas de tort. C'est pas compliqué, ça? S'en aller! Disparaître!

— Il ne se retirera pas, je te l'assure, insistai-je. Il a affirmé à maintes reprises qu'il était dans la lutte jusqu'au bout et qu'aucune pression ne le ferait céder.

Pamphile haussa les épaules.

— C'est tout simplement parce qu'il veut nous laisser venir. Il veut faire monter son prix, voilà tout!

Une autre bouffée de cigare alla rejoindre le plafond.

— Ce qu'on dit et ce qu'on fait, ça fait deux. En tout cas, on est pas des fous, nous autres. On a pris nos renseignements. Le docteur Gagnier a pas les moyens de faire une campagne électorale. Tu as vu? Il a pas encore tenu une seule assemblée!

— Oui, je sais. Mais cela ne veut pas dire qu'il acceptera de se retirer en ta faveur?

— Il a pas fait d'assemblée et il en fera pas, affirma Pamphile avec autorité. Le docteur Gagnier a une femme qui lui coûte cher. Deux garçons aux études, à part ça. Et avec les ouvriers qui le paient pas la moitié du temps, je te dis que son compte de banque est pas fort.

Pamphile posa deux doigts sur mon épaule. Il voulait se faire confidentiel.

— Alors, nous autres, ce qu'on te demande, c'est ceci. Va trouver le docteur Gagnier et propose-lui franchement de se retirer. En lui montrant que nous, on veut seulement son bien.

Pamphile tira de la poche intérieure de son veston une enveloppe où était enfermé le destin du docteur Gagnier.

— Et tu lui remettras cela. Il sera plus facilement convaincu. Quant à toi, ni vu ni connu. T'es même pas censé savoir ce qu'il y a là-dedans.

Pour se donner meilleure contenance, Pamphile fit mine de tourner la chose à la blague.

— Il fait froid en maudit au Canada, actuellement. Qu'il aille donc faire un petit tour en Floride!

Il s'éloigna, marchant lentement vers la fenêtre. Puis, sans se retourner, il ajouta:

— Avec ce qu'il y a là, il a de quoi se payer un beau petit voyage. Quant à toi, continua-t-il, si tu acceptes d'être notre messager, c'est un beau mille qui t'attend.

Ma décision avait été prise dès le moment où j'avais mis le pied dans le bureau de Pamphile. Je ne me compromettrais pas dans une sale besogne, quel que soit le prix qu'on y mettrait. D'ailleurs qu'avais-je à espérer? En supposant que j'accepte, j'étais sûr que ma mission échouerait. Le docteur Gagnier refuserait sûrement de se démettre en faveur de Pamphile. Je le connaissais assez bien pour pouvoir conjecturer quelle serait sa ligne de conduite. Dans ce cas, que me resterait-il de pareille démarche, sinon la honte d'avoir échoué et, aux yeux du docteur que je connaissais de longue date, une réputation douteuse?

Mes poings se crispèrent sur le rebord luisant du bureau. Je redressai la tête.

— Pourquoi m'as-tu choisi, moi, pour cette besogne-là, criai-je. Tu savais très bien que je refuserais? Tu ne me connais donc pas encore?

— Ah, c'est que tu refuses!

Une seconde à peine, une lueur de colère traversa son regard. Mais il se contint.

J'étais déjà à mi-chemin entre la porte et le bureau.

— Parce que je voulais te faire gagner ça à toi, espèce de cornichon! Tu comprends donc rien! Les autres, ils ont toutes les chances de se reprendre, et en masse, tu peux me croire! J'en ai dix, vingt, là, sous la main, qui feraient n'importe quoi pour moi, tu entends? Et sans se faire prier, à part de ça. Parce que ça commence à presser et que j'ai plus de temps à perdre. Alors, c'est définitif? Tu refuses? C'est non?

— C'est non.

☐

Je m'étais tu. Il ne m'était pas arrivé depuis longtemps de parler aussi longuement à Hermine d'un sujet qui me concernait directement. Quand j'eus fini, à ma grande surprise, elle ne me fit aucun reproche. Elle se contenta d'ajouter, très bas, d'un air singulier:

— Évidemment, mille piastres, cela aurait bien fait notre affaire. Mais tu ne pouvais pas faire cela au docteur Gagnier... Des discours, oui, cela c'est bien. Mais pas ce qu'il te demandait... Non, pas ça!

Je n'ajoutai pas un mot. Je n'avais rien à dire de plus.

Je me levai et par une réaction que je m'explique mal, je pressai un moment Hermine contre ma poitrine en silence, sans lui dire rien d'autre...

9

Ce n'était pas un matin comme les autres et ce ne pouvait l'être non plus.

Au service de l'expédition, bien qu'il approchât neuf heures, personne n'était encore au travail. Marois, le chef, et Pelletier, son adjoint, d'habitude si à cheval sur la ponctualité, étaient eux-mêmes arrivés en retard.

Au lieu de prendre son abat-jour dans le deuxième tiroir latéral gauche de son bureau, de retrousser minutieusement ses manches au-dessus du coude, de compter rapidement son monde d'un coup d'œil circulaire, puis de se mettre en frais de travailler à la manière d'un garde-chiourme veillant sur des détenus, Marois s'était approché lentement du petit groupe qui s'était formé non loin de mon pupitre et qui discutait de l'élection, dont on connaîtrait les résultats le soir même.

Les employés avaient eu un moment d'hésitation en voyant arriver le chef, mais l'on avait tout de suite compris qu'il ne lancerait pas son habituel rappel à l'ordre. Au contraire, il semblait manifester le désir de se mêler à la conversation générale. Un moment languissante, celle-ci s'était vite ranimée.

Quelques exaltés, et Moineau en était, affirmaient leur certitude de la défaite du gouvernement qui, selon eux, avait vécu ses derniers beaux jours. Ils s'offraient à parier sur le résultat de l'élection avec une témérité que les plus timorés admiraient de tous leurs yeux, mais sans trop le laisser voir.

— Je répète, cinquante-cinq pour l'opposition! affirmait Moineau en interrogeant tout le monde d'un sourcil levé.

— Moi, j'irais bien jusqu'à quarante, risqua Bobet, mais pas plus. De toute façon, vous verrez, ce soir!

— Trente, fit un autre. Un gain de dix à douze sièges pour l'opposition, cela me paraît suffisant. Mais pour ce qui est du pouvoir, je dis à la prochaine, n'est-ce pas?

— Vous n'y êtes pas du tout.

C'était Marois qui avait parlé avec la voix tranchante qu'il prenait lorsqu'il lançait un ordre. Il nous regarda tous, l'un après l'autre, à la ronde, sans se presser, avec des yeux narquois qui semblaient nous qualifier tous ensemble de pauvres idiots.

— Vous allez dire encore une fois, je suppose: «Marois se fout de nous! Marois est dans les patates!» Eh bien, moi, je vous dis que vos pronostics (je devrais dire vos espoirs) ne sont fondés sur rien de sérieux. Des assemblées enthousiastes, dites-vous? Des acclamations… mettons délirantes? Une grosse campagne? Qu'est-ce que ça veut dire, tout ça, dans une élection, je vous le demande? Rien! Une élection, cela se gagne le jour même du vote. Dans les bureaux de scrutin, avec de bons bulletins déposés massivement dans les boîtes, pendant que les policiers de faction regardent ailleurs! Tout le reste, c'est de la bouillie pour les chats!

Il se tut de nouveau, pour mieux mesurer l'effet de ses paroles. Et retourna vers son bureau. Il tira une dernière bouffée de sa cigarette, qu'il écrasa dans le cendrier.

Puis sans se retourner, sentant dans son dos l'inquiétude des regards, il ajouta lentement, très sûr de lui:

— L'opposition ne gagnera pas un seul siège. Vous m'entendez? Pas un seul! Votre lutte, car je sais que c'est aussi votre lutte à la plupart d'entre vous, a été encore une fois parfaitement inutile.

Marois ajusta sa visière et s'assit avec fracas à son bureau:

— Et maintenant au travail, dit-il, d'une voix impérieuse. Nous avons perdu assez de temps.

Personne n'osa répliquer. Chacun regagna sa place dans un silence lourd d'anxiété. Quand le chef avait parlé, aucune discussion n'était plus permise.

Tout à coup, Marois leva la tête. Il avait donc autre chose à ajouter?

— Si vous pensez, dit-il, que ce que je vous ai raconté n'a aucun bons sens, demandez à Ludger...

Je sursautai. Je n'avais pris nulle part à la conversation, me contentant d'écouter ce que les autres disaient. Je me levai à demi de mon siège en bredouillant. Marois ne m'écouta même pas. Il coupa d'un ton acide:

— Je disais que tu dois savoir mieux que tout le monde qui gagnera l'élection puisque tu as travaillé pour eux, toi! Avec ton cousin qui se présente dans ton comté, je sais qu'il était difficile pour toi de faire autrement... Oh, ce n'est pas moi qui vais te le reprocher!

Je ne savais que répondre, avec tous ces yeux étonnés maintenant rivés sur moi.

— Évidemment, murmurai-je, ils ont de grandes chances de rentrer aussi forts qu'avant...

— En tout cas, reprit Marois en pointant son journal du matin, un qui est sûr d'être élu, à l'heure qu'il est, c'est ton cousin. Maintenant que le docteur Gagnier s'est retiré...

— Ah le docteur Gagnier s'est...

Je ne pus aller plus loin.

— Vois toi-même. C'est dans *Montréal-Matin*!

La nouvelle me paraissait tellement extraordinaire, tellement impossible, que je m'avançai afin de m'assurer de son exactitude.

C'était vrai. Selon le journal, le docteur Gagnier avait annoncé la veille au soir qu'il se retirait pour laisser la voie libre au candidat officiel du gouvernement, afin, précisait-il, de ne pas compromettre la victoire du candidat librement choisi par le congrès du parti. À un journaliste qui avait tenté de rejoindre le médecin au téléphone, l'infirmière avait répondu que le docteur s'était envolé le matin même à destination de la Floride, pour une période de repos indéfinie.

Je sentis que ma vue se brouillait. Les caractères dansaient sur la page imprimée de sorte que je renonçai à lire les commentaires que le journal faisait sur cette retraite imprévue. Je regagnai ma place, sous l'œil acide de Marois, qui m'observait curieusement. Dans mon dos, mais sans que j'en eusse très bien conscience, la conversation se poursuivait. Elle me parvenait à travers une sorte de halo qui me rejetait hors du cercle des camarades. Sauf Marois, personne d'autre ne paraissait avoir remarqué mon embarras.

— Combien pensez-vous que le docteur a dû avoir pour se retirer? demanda Moineau.

— Bah, cela varie, reprit Marois d'une voix tranquille. Souvent cinq mille suffisent. Mais pour le docteur Gagnier, ils ont dû payer très cher. À cause de sa réputation d'intégrité. Probablement dix mille!

— Dix mille!

Les interjections s'élevaient, mi-rêveuses, mi-étonnées, des quatre coins de la pièce. Surtout les dactylos avaient gloussé à ce chiffre, lancé avec une indifférence affectée par Marois, et qui leur paraissait astronomique.

— Dix mille! C'est de l'argent, fini par ajouter Bobet. Il n'y a pas à dire, ça paie, la politique!

Personne n'ajouta quoi que ce fût à cette conclusion qui satisfaisait à peu près tout le monde. Les tiroirs s'ouvrirent et se refermèrent avec un bruit sec. Des feuilles se froissèrent. Revenues de leur éblouissement momentané, les dactylos lancèrent quelques traits épars sur leur clavier, comme des pianistes qui se font les doigts.

Au-dessus du tintamarre des machines, on entendit seulement la voix du patron qui rappelait aux employés la consigne de la compagnie pour la journée:

— Et surtout, n'oubliez pas! Le bureau ferme à trois heures! Vous avez deux heures pour aller voter. Tâchez d'en profiter!

Aucune parole ne fut ajoutée sur le sujet de tout le reste de la matinée.

Pour ma part, je m'étais jeté furieusement dans le travail. Je me reprochais mon embarras comme une faiblesse. J'avais eu tort de ne pas avoir pu me dominer. Peut-être Marois savait-il quelque chose… Mais quoi, au juste?

Malgré tous mes efforts pour m'absorber dans mon travail, il se faisait dans ma tête de drôles de mouvements. Aux variétés de textiles que j'énumérais à voix basse, le doigt pointé sur le grand livre rouge des stocks, se superposaient des chiffres qui totalisaient des sommes fantastiques. Mille! Cinq mille! Dix mille! Par grosses coupures, comme il ne m'avait jamais été donné d'en voir et comme je n'en verrais probablement jamais si je continuais à me conduire comme un imbécile, les dollars s'égayaient devant mes yeux, telle la neige folle poussée au-dehors par un vent hurleur. Tout en poursuivant mes opérations, j'essayais de me figurer comment se présenterait à mon esprit un billet de mille, celui que m'aurait remis Pamphile si j'avais accepté d'être son émissaire auprès du docteur Gagnier. Est-ce que ça existait même des billets de mille? Je n'en avais jamais entendu parler. Pour sûr, Pamphile m'aurait payé en coupures plus petites, peut-être en billets de cent, ou bien encore par chèque…

— Non, pas par chèque, c'est trop compromettant…

D'ailleurs avais-je déjà eu en ma possession un billet de cent? Je n'en étais pas bien certain. Il me semblait que oui, une fois, dans une paye de vacances. Je ne me rappelais même plus la couleur du billet…

À trois heures, je levai le nez de dessus mon ouvrage. Je m'aperçus alors que tout le monde ou presque était déjà parti. Seul Marois, retranché derrière sa visière, faisait mine de s'acharner au travail. Il avait dû noter quels étaient ceux qui avaient laissé l'ouvrage quelques minutes avant l'heure fixée par la compagnie, afin d'en faire rapport au chef du personnel.

Au moment où j'allais sortir, Marois leva la tête. Peut-être était-ce pour me faire remarquer qu'il tenait compte de mon zèle? Non. Ce n'était que pour me dire au revoir, chose qu'il ne faisait jamais d'habitude.

Je répondis d'une voix humble à sa salutation.

— Et surtout, ajouta le chef en souriant, n'oublie pas d'aller voter!

En passant près de la téléphoniste, je jetai un coup d'œil sur le divan où Pamphile m'avait fait sa première proposition. Il n'avait dépendu que de moi que cela eût continué dans la même voie. J'avais été tout gâcher par une intransigeance de principe qui, au fond, m'avait uniquement fait rater une bonne affaire. Pamphile devait sans doute être très mécontent et il avait raison.

Mon avenir s'en trouvait assombri. La grande clarté rayonnante dont j'avais été, grâce à Pamphile, comme inondé depuis quelque temps s'était dissipée par ma faute. Je n'avais cette fois personne d'autre à accuser. Pas même Hermine! Comment pouvais-je espérer maintenant récupérer la confiance de Pamphile? Pourtant ce cousin que je méprisais, que je détestais même au fond de moi, c'était bien le seul être qui m'eût jamais fourni une chance de sortir de ma médiocrité! J'avais jusque-là tout essayé. Ni le zèle, ni l'application au travail, ni l'honnêteté la plus rigoureuse, ni même l'étude ne m'avaient conduit où je voulais aller. Ces beaux principes dont j'avais été si fier, à peine m'avaient-ils permis de marquer le pas, pendant ces dix-huit années d'un travail obscur et mal rémunéré. Ah, il y avait de quoi être fier!

Je me surpris à presser le bouton de la sonnerie d'entrée de la maison. Comment le trajet du retour s'était-il effectué? Je ne le savais pas, perdu que j'étais dans mes réflexions. Hermine vint m'ouvrir, avec sur la tête ce feutre déteint par les ans que, pour la première fois, je trouvai hideux. Elle était prête. Elle n'avait que son manteau à passer et elle m'accompagnerait, comme il était entendu, au bureau de scrutin.

C'était le seul geste civique que posait Hermine dans l'année, et encore fallait-il qu'il y eût une élection! Pour elle, ce n'était qu'une corvée de plus à laquelle il lui fallait se plier, uniquement pour me faire plaisir; ce n'était d'ailleurs que depuis qu'elle était mariée qu'elle votait, et toujours selon mes dictées. Quant à elle, elle n'avait point d'opinions, sur cela comme sur le reste.

— Pour qui est-ce que je vais voter?

C'est vrai. Cette fois, j'avais oublié d'éclairer Hermine. Dans mon for intérieur, je savais bien ce que j'aurais dû lui dire, en admettant que les circonstances eussent été normales: il ne fallait à aucun prix favoriser l'élection d'un candidat du régime, même si celui-ci s'appelait Pamphile Lasonde et était mon cousin, fils du frère de ma mère. Mais maintenant?

Pourtant je haussai les épaules et lançai d'un air détaché:

— Bah, pour ce que cela peut avoir d'importance!

Elle leva la tête vivement, me regarda avec surprise et attendit la suite, sans renouveler sa question, sans chercher à savoir ce qui n'allait plus.

— Vote pour qui tu voudras, cela m'est égal maintenant, ajoutai-je d'un ton neutre.

Et je l'entraînai vers la rue voisine où se trouvait le bureau de votation.

Un policier était de faction devant la porte, qui nous laissa passer. Hermine ne crut pas devoir m'interroger davantage.

À la manière dont elle me regarda, je crus que, malgré tout, elle avait compris.

Lorsque nous sortîmes du bureau de votation, nous parlâmes des jours qui allongeaient, du soleil qui se faisait plus chaud sur la neige étincelante, du printemps qui bientôt viendrait…

DEUXIÈME PARTIE

1

Comme les nuées charrient, dans leur lourd sillage, les saisons, les jours ont passé.

Y a-t-il six mois ou davantage que Pamphile Lasonde a été élu par une écrasante majorité? Ludger, pourtant si habile aux calculs de tous genres, n'en est plus très sûr, tant les événements, comme lancés à la poursuite d'un invisible coursier, se sont précipités. Ils ont pris une tournure si soudaine, si inattendue qu'il semble parfois à Ludger qu'il s'éveille d'un rêve et que c'est un autre, qui ne serait pas tout à fait lui, qui les aurait vécus à sa place.

De son bureau particulier où il n'a plus à subir l'avilissante promiscuité de trente employés dont il parvient mal à discerner les rancœurs, il voit le ciel d'un bleu pervenche qui lui sourit. Sans doute il lui a été clément, le ciel. Il lui a été doux, comme cette brise qui fait battre légèrement contre le rebord de la fenêtre le store vénitien. Dans la lumière tamisée qui réussit à s'infiltrer dans la pièce, Ludger se laisse aller à la rêverie. Cet été qui éclate au-dehors comme une fanfare de cuivres au soleil, il lui semble que c'est la transposition palpable d'une période maintenant lumineuse, fraîche, diaphane de sa vie…

Tous ces sentiments inconnus qui affleurent dans son esprit, ces exhalaisons chaudes qui lui caressent presque imperceptiblement les membres, cette sécurité bienfaisante enfin qui a rasséréné ses traits, il se rappelle maintenant, avec un sourire amusé, qu'il a eu, à un certain moment, la folle pensée de les consigner dans un journal. Il se sentait disponible, il se sentait nouveau et il aurait voulu écrire cela en lignes bien serrées dans un cahier qui resterait le confident de ses désirs les plus secrets.

Lorsque cette pensée de tenir un journal l'avait effleuré pour la première fois, il en avait d'abord ri. Puis, à son corps défendant, il s'était plu à caresser cette idée qu'il avait d'abord jugée si saugrenue.

Certes il ne s'agissait pas pour lui de céder à une tentation juvénile de confidences maladives. Heureusement il n'avait jamais été attendri à ce point-là! Toute sa vie, au contraire, il s'était appliqué, par une rigoureuse ascèse de l'esprit, à refouler à l'intérieur de soi les sentiments les plus naturels: l'amour, l'amitié, l'affection, la sympathie. Il n'était pas dit maintenant qu'à quarante-deux ans bien sonnés il allait succomber à des tentations de jeune fille!

Il ne s'agissait donc point pour lui de se donner un mode d'expression qui, il le sentait confusément, lui manquait. Non, plutôt envisageait-il une statistique précise d'une suite d'événements qui avaient singulièrement marqué sa vie depuis six mois, une sorte de livre de raison n'enregistrant que l'évolution de sa situation personnelle depuis le dernier hiver.

Mais ses tentatives en ce sens n'avaient pas été heureuses. En trois ou quatre circonstances, sous l'œil ébahi d'Hermine qui se demandait avec anxiété quel était ce nouveau manège, Ludger s'était mis en frais de mettre de l'ordre dans ses pensées en même temps que dans les événements dont il avait été un peu comme le jouet. Avec des airs mystérieux, en prenant bien soin de s'entourer de hautes piles de livres qui lui faisaient un puissant rempart contre la curiosité d'Hermine, il s'était mis à la tâche.

Il n'avait pas été lent à constater que s'il était très rapide aux exercices de traduction ou aux calculs de l'additionneuse, qui ne réclamaient point de pensée personnelle, il perdait tous ses moyens lorsqu'il s'agissait de mettre sur le papier ce qu'il ressentait au fond de lui-même, en face des événements des derniers mois.

Aussi n'avait-il guère hésité à boucler au fond d'un tiroir ces semblants de confidences qu'il s'était faites à lui-même et qui l'auraient, croyait-il, mieux aidé à se déchiffrer. Ce n'est qu'hier, alors qu'il furetait par hasard dans ce tiroir qu'il en avait exhumé ces quelques dizaines de feuillets qu'il avait couverts de sa petite écriture écrasée…

Le battement du store contre le rebord de la fenêtre le fit sortir de sa rêverie. Il se leva et alla le tirer. Le soleil avait d'ailleurs tourné et ne tombait plus directement dans la pièce. Il avait dû rêver plus longtemps qu'il n'avait cru devoir se le permettre, mais cela ne lui arrivait pas souvent. Hé quoi? C'était l'été! Bientôt il prendrait les vacances dont il avait envie depuis si longtemps sur une plage américaine, avec une Hermine qui devait en ce moment s'affairer dans quelque grand magasin de l'ouest de la ville à se nantir d'un attirail de plage…

Car c'était elle, Hermine, qui, sans le vouloir, l'avait lancé sur la piste nouvelle où il s'était engagé à bride abattue, sans trop savoir d'abord où cela le mènerait.

Il prit les feuillets maintenant épars sur son bureau, et qui ne voulaient plus rien dire pour lui. Il les ficela soigneusement et les rangea sous une pile de documents confidentiels où personne ne s'aviserait jamais d'aller les cueillir. Là au moins resteraient-ils à l'abri des indiscrétions d'Hermine…

2

C'était, il s'en souvenait, un lundi matin, deux semaines après la journée de l'élection. Il avalait en hâte son petit déjeuner, sous l'œil silencieux d'Hermine.

Comme il buvait sa dernière gorgée de café, Hermine avait disjoint ses mains posées sur son tablier bleu fleuri, celui qu'elle revêtait dès le lever et qu'elle ne quittait guère plus du reste de la journée. Puis elle lui avait demandé à brûle-pourpoint:

— Tu n'as pas eu d'autres nouvelles de Pamphile?

Pamphile! Il l'avait presque oublié, celui-là, ou plutôt il feignait de l'avoir oublié. À vrai dire, il n'avait pas osé reprendre contact avec lui et il se sentait si mal à l'aise à son endroit qu'il ne lui avait même pas téléphoné pour le féliciter. Il faut dire que depuis deux semaines, il s'était lancé à corps perdu dans le travail et qu'il avait songé aussi peu que possible à ses éphémères aspirations à sortir de sa médiocrité, remisées pour un temps dans un coin perdu de son esprit. Après un effort qui semblait avoir été vain, on aurait dit qu'il avait renoncé.

Mais Hermine ne l'entendait pas de cette façon. Elle avait renouvelé sa question avec une insistance qui ne lui était pas coutumière, si bien que Ludger dut avouer qu'effectivement il n'avait eu aucune nouvelle du cousin et que d'ailleurs «après ce qui s'était passé» il n'avait pas cherché à en avoir.

— Tu ne lui as même pas téléphoné?

— Non.

Hermine haussa les épaules. Elle prit sur la table la tasse vide que Ludger venait de repousser d'un geste brusque. Elle alla la rincer sous le robinet de l'évier, puis la rangea auprès de la vaisselle déjà salie.

— Si tu ne l'as pas fait, tu aurais dû le faire.

Cela avait été dit d'un ton sec, presque péremptoire qui n'était pas celui qu'Hermine adoptait d'habitude. Ludger avait levé la tête. Mais il ne trouvait rien à lui répliquer.

Tout en refermant le robinet d'une main, Hermine se retourna et le regarda droit dans les yeux, sans s'émouvoir.

— Je dis que tu aurais dû.

Elle revint vers la table et retira la nappe dont elle secoua les miettes dans l'évier. Il ne disait toujours rien. Il restait là, sur sa chaise, la tête un peu penchée en avant, considérant avec attention la table desservie.

— À ta place, moi, je sais ce que je ferais...

Elle était là, devant lui, les poings fermement appuyés aux hanches, avec dans le regard un air décidé que Ludger ne reconnaissait plus.

Un peu mécaniquement, il ne put s'empêcher de lui demander, comme lorsqu'on pose une question dont la réponse importe peu:

— Tu ferais quoi?

Les poings menus d'où saillaient des bosses osseuses restaient ancrés à la ceinture du tablier.

— J'irais voir Pamphile, tout simplement...

Elle fit une pause. Les poings s'ouvrirent et les doigts maigres, légèrement bleutés, tordirent les fleurs du tablier.

— J'irais voir Pamphile... et je lui expliquerais. Je suis sûre qu'il comprendrait...

Et elle ajouta avec une pitié méprisante dans les yeux:

— De toute façon, il ne te mangera certainement pas!

Il fit comme s'il n'avait pas entendu, se leva avec effort, essuya ses lèvres avec le coin de la serviette qu'il froissa et rejeta sans violence sur la table.

Puis il sortit de la cuisine avec précipitation. Quelques minutes plus tard, Hermine entendit se refermer sur lui la porte d'entrée. Il était parti!

En passant devant la petite glace dépolie qui surmonte l'évier, Hermine s'aperçut, pour la première fois depuis sans doute longtemps, qu'elle souriait. Ce miroir qu'elle s'arrêta à considérer avec un peu plus d'attention que d'habitude, semblait lui dire qu'elle venait peut-être de remporter sur Ludger une petite victoire personnelle. La première depuis des années...

À l'angle de la rue Ontario, le tramway lui fila au nez. Ludger regarda autour de lui et vit avec étonnement qu'aucune des anonymes créatures qui faisaient le pied de grue chaque matin en sa compagnie autour du poteau blanc n'était à son poste pour l'observer. Il jeta un coup d'œil à sa montre et ne put retenir une grimace. Il venait de rater le tramway de 7 h 53. Tout son horaire de la journée s'en trouverait détraqué! Il serait sûrement en retard au bureau. Effectivement tout le monde était au travail lorsqu'il y pénétra en douce, vers huit heures quarante. Marois ne fit pas plus que lever la tête.

— Quelle idée, se dit-il à lui-même, une fois l'additionneuse mise en marche! Appeler Pamphile pour le féliciter! Que va-t-il penser de moi? Que je suis un sauvage, comme il aime à dire? Que je ne peux pas parler aux gens?

Si c'était là l'opinion de Pamphile, il aurait parfaitement raison. Un sauvage! Voilà ce qu'il était. Il le sentait d'ailleurs très bien en lui-même et il se rendait compte qu'au fond on le lui avait toujours fait un peu sentir. Il était un isolé, un être insociable, dont on ne recherchait jamais la fréquentation. Seul sur sa banquise, avait dit un jour Moineau.

Mais il fallait lui accorder le crédit de quelques tentatives pour rompre avec ce personnage qu'il s'était fabriqué et qu'on avait aussi un peu fabriqué pour lui. Ces discours politiques qu'il avait rédigés pour Pamphile n'en étaient-ils pas un exemple probant? Mais hélas! À la première alerte, il avait pris peur et s'était retiré sous sa tente. Ce n'était sûrement pas le moyen de réussir ou de s'imposer...

Heureusement qu'il y avait ce travail monotone qu'il poursuivait sans relâche comme un forçat! Comme chaque jour, à l'appel de ses doigts, les totaux jaillissaient de l'additionneuse avec la parfaite régularité des produits ouvrés. Ils étaient fidèles à l'habileté comptable de Ludger et comme de vieux amis ils se seraient bien gardés de le tromper. Ne profiteraient-ils pas de ces distractions qui faisaient comme des trous dans son cerveau pour détraquer toute la machine et fausser les opérations? Non, en serviteurs soumis, ils venaient humblement s'inscrire, les uns après les autres, dans les colonnes du grand livre à couverture rouge...

— J'irai voir Pamphile et je lui expliquerai... Si c'était Hermine qui avait raison? Pour une fois?

Comme c'était facile à dire, mais parallèlement, comme c'était d'une réalisation compliquée! Il n'avait jamais tenté de sa vie d'expliquer quelque chose à Pamphile. Et d'ailleurs, le cousin avait-il besoin qu'on lui explique les choses, lui qui comprenait tout à mi-mots?

Mais Ludger se souvenait qu'Hermine avait également jeté une note d'espoir.

— Je suis sûre, moi, qu'il comprendrait...

Elle avait dit aussi cela, qui rétablissait la balance.

Cependant, comment pouvait-elle affirmer que Pamphile comprendrait? Et comprendrait quoi, au juste? La manière ridicule avec laquelle il s'était conduit? Sa fuite devant une proposition douteuse, certes, mais qui avait beaucoup moins de conséquence qu'il ne l'avait d'abord cru? Et qui d'ailleurs avait été absolument vaine?

L'additionneuse s'était arrêtée. Les doigts en l'air, survoltant le clavier, Ludger restait hésitant.

Peut-être que Pamphile comprendrait...

Et s'il comprenait?

3

Dans un glissement assourdi et feutré, l'ascenseur le déposa au troisième étage d'un immeuble de la rue Saint-Jacques.

Ludger poussa une porte et se trouva projeté devant le sourire indifférent d'une secrétaire qui lui demanda s'il avait rendez-vous. Sur sa réponse négative, elle disparut. Ludger reconnut aisément derrière la baie vitrée la voix de Pamphile, qui ne lui sembla pas manifester la moindre contrariété. Sa visite ne l'ennuyait donc pas? Quant à lui, il se tenait prêt à faire face au pire, son chapeau dansant la ronde entre ses doigts agités d'une moite nervosité.

— Ah c'est toi!

Comme s'il n'avait pas été prévenu par la secrétaire, Pamphile avait joué la surprise en l'apercevant. Il vint au-devant de lui, la main tendue. Tape amicale sur l'épaule, nulle trace de malaise, aucun soupçon de rancune ou de mauvaise humeur. De surcroît, dès le départ, une attaque pleine de bonhomie:

— Comment trouves-tu ma nouvelle installation? Pas mal, hein, pour un ancien petit commis à l'hôtel de ville?

Il aimait rappeler son point de départ pour mieux faire apprécier par la suite le point d'arrivée. D'un geste large de la main, il embrassa une vaste pièce aux tons franchement modernes, tendue d'un mur à mur d'une teinte discrète et découpée de hautes fenêtres donnant sur la rue.

— Pas mal, hein? répéta Pamphile avec insistance. Naturellement, le principal y est...

Il fit alors se retourner Ludger vers une immense photographie encadrée du premier ministre, qui occupait presque tout le pan du mur du fond.

— Il me l'a dédicacée à part de ça, comme tu peux voir, continua Pamphile en pointant de l'index le coin inférieur du portrait, où se laissait effectivement deviner un gribouillis qui pouvait être une dédicace.

— C'est rare, tu sais, que le premier ministre donne son portrait comme ça. Dans le parti, je suis un des seuls à l'avoir.

— Naturellement, glissa un Ludger devenu complaisant, tu dois être très bien avec lui.

— Bah, pas mal. Les journaux parlent déjà qu'il va me faire ministre. Mais les journaux, peut-on s'y fier? En tout cas, il y aura sûrement un remaniement bientôt. Peut-être qu'alors, si j'ai de la chance...

Il se tut, savourant à plein son triomphe, plus éclatant encore que Ludger ne l'avait imaginé.

— À propos, reprit ce dernier qui croyait l'occasion propice, j'ai voulu justement te donner de mes nouvelles pour ne pas que tu penses que...

— Laissons cela, laissons cela, coupa Pamphile d'un ton faussement bourru. Le passé, c'est le passé, et c'est oublié. Ce qui compte maintenant c'est l'avenir. L'avenir de la province!

Il s'assit, trônant avec fierté derrière son immense bureau dont il caressa doucement la surface lisse et luisante. Alors il parla longuement de l'avenir de la province, où il se voyait jouant un rôle de premier plan, toujours dans l'ombre du premier ministre, auquel il semblait porter un sentiment de vénération qui tenait presque du fanatisme. Il parla aussi de son avenir à lui et de son succès personnel, solidement attachés, sembla-t-il à Ludger, au succès matériel et à l'avenir de la province...

Ludger n'avait soufflé mot et s'était contenté d'écouter. À son corps défendant, il ne pouvait s'empêcher de s'émerveiller de ce que tout pour Pamphile paraissait aisé, facile, assuré d'avance.

— Je suis là à parler de mes succès, finit par dire Pamphile, et j'oubliais de te demander si tu étais venu pour quelque chose de particulier.

— Non, reprit Ludger d'un ton où perçait encore une certaine appréhension. Je faisais seulement passer. Alors j'ai pensé à venir te saluer et à te féliciter en même temps de ta belle victoire. Tu as dû être content?

— Pas mal. Pour une première fois, je trouve que j'ai pas mal réussi du tout!

Il s'enfonça plus profondément dans son fauteuil et parut attendre la suite. Ludger, moins craintif, se sentit plus maître de lui pour continuer à fournir les explications qu'il croyait nécessaires:

— C'est Hermine qui m'a dit comme ça: «Va donc voir Pamphile... Il doit bien se demander...»

Il n'acheva point. Il se rendit compte tout à coup que Pamphile n'en demandait pas tant. La bouche du cousin dessinait de nouveau devant lui un sourire épanoui. Des excuses! Ce n'était que cela? Il en avait été quitte pour la peur! Ludger ne venait pour rien d'autre. Le cousin ne put retenir un soupir d'aise.

— Si t'es mal pris, mon Ludger, tu me donnes un coup de téléphone et je t'arrange ça tout de suite.

— Oh, je ne veux pas abuser...

— Non, non. Ma porte t'est ouverte vingt-quatre heures par jour, je te le répète. Après tout, c'est toi qui as fait mes discours...

— Ne parlons pas de ça!

— Ah, mais, c'est que j'en ai eu des félicitations, tu sais! En tout cas, des fois que t'aurais besoin de te faire arranger des petites choses, sache que je suis là. À part ça, tu t'arranges toujours bien à la compagnie?

— Bah, ce n'est pas le Pérou, mais je réussis à me tirer d'affaire avec mes travaux de traduction. La compagnie, tu sais, ça n'a jamais été bien fameux! Mais j'espère que les choses vont changer bientôt, se hâta de reprendre Ludger.

— Ah oui!

— Oui, je ne sais pas si je devrais te dire cela, mais nous sommes en train de former un syndicat des employés du bureau, à la compagnie, et nous allons demander de bonnes augmentations de salaires, ainsi que des conditions de travail raisonnables. Nous nous proposons justement de rencontrer les patrons la semaine prochaine à ce sujet et...

Le visage de Pamphile s'était rembruni en un clin d'œil. De profondes rides réapparurent sur son front, parallèlement à la ligne des sourcils dont ils devenaient comme une sorte de prolongement ondulatoire.

— Un syndicat, tu dis? À la compagnie?

Il ne paraissait pas comprendre très bien ce que son cousin lui chantait là.

— Mais oui. Il est temps, il me semble?

— Et tu penses qu'ils vont accepter ça? Comme je les connais, ça me surprendrait, mon garçon. Tu sais que les employés du bureau ont jamais réussi, dans le passé et que, chaque fois, les gars ont été se ramasser sur le trottoir! Tu sais ça, hein?

Le spectre du congédiement, oublié depuis quelque temps grâce aux efforts de persuasion de Bobet et de Moineau, se balança de nouveau devant le regard apeuré de Ludger. Voilà que ce même Pamphile, qui l'avait toujours dominé, lui en imposait encore, cette fois au sujet de ses propres affaires. Et qu'il avait probablement raison... Déjà sa belle assurance, toute neuve encore, était ébranlée, sans qu'il pût saisir exactement pourquoi.

Pamphile ne le regardait plus, ne cherchant pas à considérer l'étendue des dégâts qu'il venait de faire dans l'esprit de son cousin. Il semblait même l'avoir oublié. Il se faisait lointain, distant, comme étranger.

— Un syndicat à la compagnie! Pas possible!

Puis il se retourna brusquement et parut sortir de sa brève rêverie. Maintenant ses yeux flamboyaient de la colère des prompts. Il rabattit ses deux poings sur le bureau, qui gémit d'un craquement sourd.

— T'es pas dans ce syndicat-là, toi, toujours?

— Mais oui, comme les autres.

— Alors un conseil d'ami. Tu vas me faire le plaisir d'en sortir, et tout de suite. Je dis tout de suite parce que ça presse. Tu peux encore sauver ta peau si vous avez pas fait de démarche auprès de la compagnie. Tu entends? Je veux pas te voir te mêler de ça! C'est clair? Si tu restes là-dedans, ça va tourner mal, pour toi et pour les autres. Mais les autres, tu as pas à t'en occuper. C'est pas de tes affaires! Laisse-les se débrouiller tout seuls, s'ils sont pas assez intelligents pour comprendre!

Ludger essaya de résister, ne saisissant pas très bien quel intérêt Pamphile pouvait prendre à ce qu'un syndicat entrât ou n'entrât pas à la compagnie.

— Mais je ne peux pas les lâcher maintenant, protesta-t-il faiblement. J'ai donné ma parole. Ils comptent sur moi. Ils m'ont même nommé membre du comité qui doit rencontrer les patrons.

Le ton était gémissant, le regard lamentable.

— Membre du comité! Mais tu es fou! On t'envoie te jeter tout droit dans la gueule du loup, et tu y vas en courant. Trouve un prétexte, tombe malade, fais n'importe quoi, mais retire-toi de ça tout de suite. C'est le meilleur conseil que je peux te donner.

— Mais pourquoi faire? risqua Ludger qui ne comprenait toujours pas ce que son cousin venait faire dans une question qui n'intéressait que lui et la compagnie.

— Parce que je les connais, moi, à ta compagnie. Ils sont durs. Ils sont puissants. Ils sont comme ça avec le gouvernement qui les protège. Ils vont vous écraser tous ensemble comme des chiens. Tu feras bien comme tu voudras, mais moi je te dis rien qu'une chose: tous ceux qui sont de votre comité, eh bien, ils vont se retrouver dehors le lendemain. Et avec le chômage qu'il y a cet hiver, je te dis que ça va être dur pour eux de se trouver quelque chose.

— Je suppose que tu dois avoir raison. Comme d'habitude!

Déjà devant la certitude de Pamphile, il se sentait vaincu. Sa faiblesse, le trouble qu'il ressentait au-dedans de lui-même, le trahissaient.

— Tout ce que je peux te dire, c'est ôte-toi de là! Et crois bien que je te parle uniquement dans ton propre intérêt.

Pamphile ajouta, après une pause qui permit à sa colère de mollir:

— Tu sauras bien me remercier. Et pas plus tard que la semaine prochaine.

Il se leva et marcha quelque temps de long en large dans la pièce, jetant parfois des regards hésitants dans la direction de Ludger qui suivait son va-et-vient avec anxiété, comme s'il s'agissait d'une chose vitale pour lui.

Les mains crispées sur son chapeau qu'il n'avait pas lâché, il attendait que l'autre s'arrêtât.

— Arrive ici, une minute!

Pamphile l'entraîna vers une des fenêtres. À l'extérieur le jour mourait sous une neige voltigeante que commençait à pousser le vent âpre de février.

Le député paraissait maintenant détendu. Son ton avait changé. Ses traits s'étaient affaissés. Il semblait parvenu à l'heure de la confidence…

Il parla bas, près de l'oreille de Ludger, en lui serrant un peu le bras, à intervalles réguliers. Il le garda ainsi plusieurs minutes tout contre lui, lui soufflant des phrases qu'il prononçait d'une voix basse et précipitée, avec parfois des haussements d'épaules, parfois de grands gestes démesurés. Ludger se contentait d'écouter, n'interrompant Pamphile que pour lui demander un éclaircissement, exiger de lui une raison plus péremptoire, asseoir plus fermement sa nouvelle certitude.

Pamphile parla longtemps.

Lorsque Ludger se retrouva dans la rue, le jour avait complètement baissé. La neige continuait de tomber, maintenant épaisse et lourde et touchant à peine le sol, aussitôt empoignée par des rafales sifflantes.

Ludger s'engagea dans les pas des piétons qui sortaient par grappes des bureaux, zigzaguaient dans toutes les directions, tête baissée pour se protéger du vent et de la neige.

À son tour, il se perdit dans cette foule qui donnait l'impression de ne pas très bien savoir où elle allait…

4

C'était un petit vieillard tremblotant, au nez pincé d'un antique binocle, à la chevelure blanche écrasée aux tempes, aux grosses veines bleuâtres sous-tendant une peau fatiguée, marquée de taches rouges.

Assis en face de lui, dans une attitude voisine d'une déférence accentuée, Ludger le considérait avec un sentiment où entrait, presque à son insu, un peu d'effroi. C'était la première fois qu'il était admis dans ce que les camarades appelaient en blaguant le saint des saints et cela l'impressionnait au point où, quand M. Baxter l'avait accueilli d'un bonjour dodeliné de la tête, il avait dû faire effort pour répondre d'une façon intelligible à sa salutation.

Il avait été rarement donné à Ludger de jeter, dans le passé, un coup d'œil même furtif à l'intérieur du saint des saints lorsqu'il traversait le couloir de son pas précipité et que, par oubli, M. Baxter, qui aimait s'entourer de secret et de mystère, avait laissé sa porte entrouverte. Sa timidité avait chaque fois arrêté son regard sur le seuil, qu'il n'avait osé franchir, et ne lui avait pas permis de pousser plus loin une curiosité pourtant toute naturelle. Ce qu'il connaissait du bureau de M. Baxter lui avait donc été décrit par autrui, notamment par Marois qui était à peu près le seul membre du service de l'expédition à y être introduit de temps à autre, c'est-à-dire deux ou trois fois l'an.

C'est que M. Baxter savait défendre comme l'enceinte d'une ville fortifiée l'intimité de son bureau, haut lieu où s'élaborait ce qu'il appelait avec emphase la politique de la compagnie. Là se décidait l'avenir de la filature et de ses filiales, et là aussi venaient mourir, comme le flot d'une vague tumultueuse, les demandes annuelles d'augmentations de salaires pourtant portées elles aussi par un flot d'espoir également annuel, mais vite rejeté par une direction inébranlable comme un roc, soucieuse avant tout des intérêts supérieurs de la compagnie.

— Mon cher Monsieur Lamarre, commença M. Baxter, votre temps étant aussi précieux que le mien je n'irai pas par quatre chemins pour vous dire les raisons pour lesquelles j'ai cru devoir vous faire venir ici, à mon bureau. C'est une chose à laquelle vous n'êtes pas habitué, je le sais, et qui doit vous paraître — comment dirais-je? — insolite, puisque c'est la première fois, je pense, depuis dix-huit années que vous êtes à notre service, que je vous convoque pour une entrevue personnelle. C'est bien dix-huit ans, n'est-ce pas?

— Oui, Monsieur Baxter.

— C'est ce qui me semblait. Je me trompe rarement quand il s'agit de me rappeler les années de service des employés placés sous ma charge et que j'ai l'honneur, au nom de la compagnie, de diriger. Vous avez d'ailleurs eu l'occasion de constater par vous-même que je savais reconnaître, lorsque l'occasion s'en présentait, et estimer aussi à leur mérite les services des meilleurs employés de notre compagnie, des plus dévoués et des plus assidus à leur travail, et je tiens à vous dire en toute amitié que je vous compte parmi ceux-ci.

— Merci, Monsieur Baxter.

— Vous savez que cette reconnaissance — si vous me permettez d'employer ce grand mot qui exprime si exactement mon sentiment — s'est traduite, chaque fois que la chose a pu se faire par une augmentation appréciable de votre traitement. J'y ai consenti chaque fois que votre demande était appuyée par votre chef de service et jugée convenable par notre chef-comptable. Je vous avouerai très franchement qu'en ce qui vous concerne, vous particulièrement, j'aurais aimé récompenser davantage vos efforts. Mais voilà je ne suis malheureusement pas maître de notre comptabilité et il y a certaines réalités dont il me faut tenir compte. Vous me comprenez?

— Oui, Monsieur Baxter

— Tout ceci, Monsieur Lamarre, pour vous dire que j'ai le sentiment profond d'avoir fait honnêtement tout mon possible pour que vous receviez de la compagnie le traitement le plus favorable que nous soyons capables de vous accorder en tenant compte, je le répète aussi, des services inestimables que vous nous rendez au service de l'expédition, où votre travail est hautement loué par Monsieur Marois, Monsieur Pelletier et tous vos autres collègues.

Cette constatation faite, il poursuivit du même ton monocorde et doucereux qu'il avait adopté au début de l'entretien:

— Aussi, Monsieur Lamarre, il me serait extrêmement désagréable, croyez-moi, d'avoir, un jour prochain, à me séparer d'un employé aussi fidèle et aussi empressé que vous l'êtes à votre travail.

— Vous séparer de moi, Monsieur Baxter?

Ludger avait ressenti sous le choc une violente chaleur lui monter aux tempes. Mais M. Baxter ne parut s'apercevoir de rien et poursuivit:

— Ne m'interrompez pas, je vous prie. J'ai bien dit, en effet, nous séparer de vous, ce qui arrivera fatalement et à notre grand regret, soyez-en assuré, si vous persistez dans votre intention de faire partie de ce syndicat qui se forme présentement à notre bureau et qui a son origine au service de l'expédition. Vous savez, vous qui êtes ici depuis dix-huit ans, que nous ne voulons à aucun prix d'un syndicat des employés de bureau et que nous n'en tolérerons jamais l'installation chez nous.

Ici M. Baxter éleva une voix qui tremblait un peu sous le poids d'une colère grondante et qui faisait osciller de droite et de gauche son pince-nez. Je sais que je vais être brutal, poursuivit-il, mais il le faut, pour votre bien d'abord et celui de notre compagnie ensuite, et c'est pourquoi je vous demande instamment de rompre immédiatement avec les initiateurs de ce malheureux projet qui ne peut que nuire le plus gravement non seulement aux intérêts de la compagnie, qui ne le recevra sous aucun prétexte, mais surtout à ceux qui se proposent d'en faire partie. Je m'étonne seulement que vous ayez pu céder à des sollicitations aussi malfaisantes, sans vous demander auparavant où cela vous mènerait. Évidemment, je sais qu'on aura fait miroiter devant vos yeux de fabuleuses augmentations de salaires que nous sommes d'ailleurs incapables de payer et que vous vaudrait, selon ces gens, la signature d'une convention avec les employés du bureau, mais cela reste très problématique, croyez-moi. Et écoutez-moi bien. Jamais nous ne signerons de contrat avec un syndicat éventuel des employés du bureau. Nous nous passerons de leurs services, même si nous sommes pleinement conscients de leur valeur, plutôt que de leur céder sur ce point. Est-ce assez clair? Je vous dis: jamais!

M. Baxter se rejeta violemment en arrière, les yeux illuminés d'une colère qui éclatait maintenant au grand jour et se donnait libre cours sans la moindre entrave.

— Oui, Monsieur Baxter.

Ludger avait baissé la tête. Il était si décontenancé qu'il n'avait rien trouvé d'autre que ce laconique acquiescement à opposer au raisonnement du grand patron.

Celui-ci en fut visiblement satisfait.

— Je vois que vous me comprenez, reprit-il, et que vous comprenez où sont vos véritables intérêts. Je n'en attendais pas moins de vous. Je vous demande donc de me donner immédiatement votre parole que vous n'aurez plus rien à voir avec la formation de ce syndicat, qui se propose de nous rencontrer lundi prochain, à ce qu'affirment Monsieur Moineau et Monsieur Bobet, ces dangereux écervelés qui ne sont plus considérés par moi à l'heure actuelle comme faisant partie de notre personnel. C'est compris? Vous allez vous retirer immédiatement de ce groupe. C'est un ordre.

Ludger était atterré. Le spectre du congédiement hantait à nouveau son esprit et le forçait à se rendre sans combattre aux motifs invoqués par M. Baxter. Toutes les belles raisons que Moineau et Bobet lui avaient patiemment inculquées tombaient à néant et se révélaient impuissantes devant une si piètre perspective d'avenir.

— Oui, je vais me retirer, murmura-t-il enfin, je vous le promets.

M. Baxter poussa un long soupir de soulagement. Dans son for intérieur, il se félicitait d'avoir commencé d'attaquer son personnel par son point le plus faible et le plus vulnérable et il se disait qu'un premier chaînon étant aussi facilement rompu, tout le reste allait s'effondrer en peu de temps.

— Vous n'aurez pas à vous en repentir, reprit M. Baxter sur un ton de douceur et de sincérité qui frappa Ludger. Je vous en fais à mon tour la promesse. Je passerai l'éponge, cette fois-ci encore, et j'irai même jusqu'à ne pas trop vous embarrasser auprès de ceux de vos collègues qui chercheraient à vous tenir rigueur de votre retour à une attitude plus raisonnable. Vous ne vous sentez pas un peu fatigué?

Ludger ne comprenait pas très bien.

Un sourire franc et presque paternel fleurit sur les lèvres décolorées du vieil homme.

— Eh bien! Vous allez vous reposer quand même. Non, non, ce n'est pas ce que vous pensez. Vous restez avec nous, mais afin de vous épargner des ennuis de la part de certains de vos camarades, je vous accorde une semaine de congé. Retournez chez vous et reposez-vous bien. Vous nous reviendrez dans une semaine, de sorte que lorsque vous reprendrez votre place, les esprits seront calmés et peut-être certains changements seront-ils alors intervenus au service de l'expédition où vous trouverez mieux votre compte.

— Voulez-vous dire que…?

— Ne me posez pas de questions. Surtout pas de questions. Finissez votre journée au bureau comme si de rien n'était et revenez-nous seulement l'autre jeudi. Monsieur Marois informera vos confrères que vous êtes porté malade.

— Mais que vont-ils penser de moi?

— Ne vous inquiétez pas de cela. Nous arrangerons l'affaire tout à votre avantage. D'ailleurs vous ne serez pas le seul, croyez-moi, à revenir sur une décision prise sans réflexion. Restez chez vous et ce sera bien.

Il se leva, tendit à distance une main molle et conclut l'entretien en signifiant à Ludger qu'il pouvait disposer.

Au moment de sortir, celui-ci se retourna, mû par une soudaine inquiétude.

— Ce sera un congé payé?

— Ce sera un congé payé. Soyez bien tranquille là-dessus.

5

Ça avait été pour Ludger une journée atroce.

Certes il s'était levé à la même heure que d'habitude, comme s'il avait à se rendre à son bureau, comme s'il n'avait pas été mis en vacances forcées. Le réveille-matin avait sonné, et Ludger s'était jeté à bas de son lit, telle une recrue répondant à l'appel du clairon. Comme tous les autres matins de son existence de commis au service de l'expédition de la compagnie, il avait sauté dans ses pantoufles et s'était précipité dans la salle de bains. Il s'était lavé le visage en vitesse, aussi les mains; il s'était brossé les dents. Comme tous les autres matins...

Mais avec cette différence, cette fois, qu'il n'était pas parti. Il ne se rappelait pas que ce lui fût jamais arrivé, sauf à l'occasion d'une mauvaise grippe hivernale, il y avait de cela très longtemps.

Cette fois aussi, à la différence des autres fois, il avait tout révélé à Hermine qui l'avait approuvé en tous points. C'était déjà cela de gagné et, de ce côté au moins, il se sentait tranquille et solidement appuyé.

Ce qui faisait toute la différence avec les jours de sa vie ordinaire, c'était sa mine. Il s'avouait lui-même n'avoir jamais eu fière mine; il était indifférent à la beauté des visages. Mais aujourd'hui, c'était une pâleur morne qui s'épandait sur sa figure, qui creusait ses traits, avec autour des yeux une espèce de cerne verdâtre qu'il ne se connaissait pas.

Il y avait d'abord eu, la veille au soir, ce coup de téléphone inquiétant, juste comme ils venaient de se mettre au lit, Hermine et lui.

Il ne dormait pas encore et sans penser à rien, il s'était précipité sur l'appareil dont la sonnerie prolongée l'agaçait. Il avait décroché. À l'autre bout, un long silence avait répondu à son allô presque angoissé. Quelques secondes s'étaient passées, puis le correspondant anonyme avait raccroché.

Il était resté quelque temps, hébété, à regarder l'écouteur, inutile dans sa main. Tout ce qu'un dormeur éveillé peut imaginer dans des circonstances anormales s'était mis à assaillir l'esprit de Ludger, déjà inquiet par avance. Était-ce signe que l'on connaissait déjà sa défection et l'ordre qui lui avait été intimé de rester chez lui? Et ce signe avait-il quelque rapport avec les menaces possibles auxquelles M. Baxter avait fait une lointaine allusion, dans son entretien de la veille? C'était possible, et peut-être probable.

Ce n'est que sur les quatre heures que Ludger, fatigué de sa longue attente dans la nuit, avait pu se rendormir. Mais dès les premières lueurs de l'aube, il s'était brusquement éveillé, l'oreille au guet, l'œil alerté, comme aux jours d'angoisse où il croyait à une menace de congédiement pesant sur lui. Que s'était-il passé? Rien. La maison, elle aussi, dormait de son lourd sommeil.

Il se rappela tout à coup: il avait fait un cauchemar, et c'était ce cauchemar qui l'avait éveillé. Longtemps, il se tint immobile, rigide, sans bouger même les paupières qu'il tenait grandes ouvertes sur le plafond neutre de la chambre où commençait à peine à s'imprimer, par-dessus la forte opacité des ténèbres, la pâleur incertaine de l'aurore. De ce cauchemar, il cherchait mais en vain à se ressouvenir. À le reconstituer à partir de quelques bribes fugaces, il mettait toutes les ressources de son esprit agité de noirs phantasmes. Son incapacité à saisir les sinistres ombres de la nuit, son impuissance à ressusciter son rêve, à lui redonner forme et vie, est-ce que cela aussi ne pouvait pas être un signe?

Debout comme à l'accoutumée, Hermine ne paraissait pas inquiète plus que de mesure. Aux matineuses angoisses de Ludger, elle avait su répondre par un haussement d'épaules rassurant:

— Bah, ils n'oseront pas. Ils ne sont pas si fous? Ils savent bien que tu ne pouvais pas agir autrement?

C'était vrai. Comment aurait-il pu agir autrement qu'il l'avait fait? Il n'avait pas eu le choix. Pas la moindre alternative. La solution lui avait été imposée contre son gré. On lui avait mis entre les mains son propre destin et il lui avait fallu s'arranger avec. Les camarades devaient bien s'imaginer qu'il ne voulait pas les lâcher? Comme Hermine l'avait ensuite laissé entendre, il y en avait probablement d'autres dans le même cas que lui. Mais on n'avait pas dû renvoyer chez eux, pour cause supposée de maladie, tous les lâcheurs, en admettant qu'on puisse les appeler ainsi? Alors pourquoi un traitement d'exception pour lui? En faisant mine de vouloir le protéger, ne le désignait-on pas, par le fait même, à la vindicte des autres?

Mais non. Pour lui ce n'était pas la même chose. Il était malade, et il avait fallu Hermine pour lui en faire ressouvenir. Et il devait se comporter en malade. Après son empressement à se vêtir, il s'était rendu compte qu'il lui fallait faire machine arrière. Il avait donc dénoué sa cravate, retiré sa chemise, quitté son pantalon. Ses chaussures étaient tombées avec lourdeur de ses mains, au pied du lit où il les rangeait chaque soir. Puis il avait repris son pyjama, ses pantoufles, sa robe de chambre déteinte, percée aux coudes.

Toute la matinée, il avait erré dans la maison, à la recherche d'une occupation. De la cuisine au salon, il s'était promené dans cet accoutrement de malade imaginaire. De guerre lasse, il avait essayé de se recoucher, mais il n'avait pu dormir.

Le lit était resté défait. Il était entendu qu'à la moindre alerte venant du dehors, Ludger s'ensevelirait en vitesse entre les draps et jouerait son rôle.

Comme pour gâter davantage les choses, la journée avait été grise, morne, pour ainsi dire sans ciel. Et longue, interminablement.

Dès le soir tombé, à l'heure de mettre la table, Hermine avait abaissé les stores et tiré les rideaux, afin qu'aucun œil indiscret pût surprendre de l'extérieur le manège des époux. En attendant d'être servi et d'avaler en silence la soupe des journées harassantes, Ludger se tenait assis, pensivement, sur une chaise, dans le fond de la cuisine, à attendre ce qui devait survenir.

Mais il fallait convenir qu'au bout de cette journée inutile, il ne s'était en fin de compte rien produit. Le téléphone était resté muet toute la journée et Hermine, sans qu'il ait eu à le lui demander, s'était abstenue d'en faire le moindre usage.

Et cette deuxième nuit, à tout prendre, qui s'annonçait si lourde de nouvelles angoisses, avait été moins dure que la précédente. Malgré son désir résolu de rester éveillé aussi longtemps qu'il lui serait possible de tenir, Ludger avait rapidement cédé au sommeil. Rien ne l'avait troublé jusqu'au petit matin quand, tout à coup, il se retrouva assis sur le bord de son lit, les jambes pendantes, les pieds nus posés bientôt sur le parquet glacé. Il frissonna. Un bruit insolite, quelque chose comme une poubelle que l'on traîne sur la neige, l'avait vite remis sur ses jambes. À coup sûr, cela venait de la cour. Il fallait y aller voir.

Sans prendre la peine de chausser ses pantoufles, sans doute perdues quelque part sous le lit, Ludger se dirigea à tâtons vers la cuisine. Il devait être cinq heures ou peut-être six, c'était difficile à dire, le réveille-matin posé près d'Hermine refusant, en complicité avec la nuit noire, de livrer le mystérieux secret de l'écoulement des heures. Ludger avait tiré tout juste ce qu'il fallait le coin du store de la fenêtre donnant sur la cour.

Il ne pouvait rien apercevoir, forcément: le ciel ne s'était pas dégagé et, ramassée tout contre les silhouettes presque sinistres des hangars, la neige refusait même de se laisser deviner, sur le fond informe de la nuit.

Ludger avait attendu longtemps, les pieds glacés par le froid, dans une pose inconfortable, que le bruit se produise. Mais au-dehors, c'était le silence le plus entier, un silence si lourd et si noir qu'il faisait peur... Il se résigna finalement à aller se recoucher.

Longtemps, comme la veille, il resta allongé sur le dos, les membres inertes, les yeux ouverts sur le néant des choses sommeillantes.

Puis commencerait une autre journée perdue, en tous points semblable à la précédente, au bout de laquelle il n'y aurait rien d'autre que cette désespérante attente.

6

Ludger entra en vitesse, tête baissée, sans regarder ni saluer personne, et il s'engouffra dans le vestiaire. Il se débarrassa de son chapeau, de son manteau que la fin proche de l'hiver rendait plus lourd à porter, de ses caoutchoucs aussi contre lesquels il pesta intérieurement. Ces choses faites, il s'immobilisa, l'oreille tendue, un silence attentif aux lèvres, et perçut la rumeur du bureau, bruit indéfini, vague, seulement strié par les traits crépitants des machines. Quelques éclats de voix familiers lui parvinrent, émergeant péniblement de ce brouhaha, et cela lui fit chaud au cœur.

Il était temps d'entrer, il entra. Comme s'il avait quitté de la veille seulement le service de l'expédition, il se dirigea tout droit vers son bureau, en regardant le moins possible autour de lui. Il sentit bien que quelques têtes s'étaient dressées, mais rien de plus.

Tout à coup il leva les yeux et sursauta: son bureau était occupé!

Un jeune homme inconnu, dont l'application par trop évidente dénonçait la nouveauté à l'emploi de la compagnie, actionnait l'additionneuse, son additionneuse, la fidèle compagne de ses jours depuis plus de quinze ans à la compagnie. Le jeune homme se décida lui aussi à lever la tête d'un air interrogatif. L'arrivée précipitée de Pelletier lui évita de donner une explication que cherchait l'œil à nouveau angoissé de Ludger.

Une tape sur l'épaule, une mine faussement enjouée et Pelletier demanda:

— Alors, ça va mieux, mon vieux? Mais oui, tu as l'air en pleine forme! C'est ton bureau que tu regardes? Inquiète-toi pas! On te réserve quelque chose de mieux que ça. Parce que, comme tu peux voir, ça a changé ici pendant ton absence.

Ludger venait de jeter un coup d'œil à la ronde et effectivement il avait eu tôt fait de remarquer que le pupitre de Marois était vide, que Moineau et Bobet étaient également absents. Deux ou trois figures nouvelles, outre le jeune homme aperçu plus tôt, se détachaient sur le fond inerte de l'équipe régulière dont ils semblaient rompre l'unité, faisant sur un paysage sans surprise une tache insolite.

— Tu cherches Marois? reprit Pelletier sans s'émouvoir le moindrement. Il a été transféré à la succursale des Cantons de l'Est comme chef du bureau.

— C'est une promotion? demanda Ludger, qui n'était pas tout à fait rassuré.

— Cela dépend comment on voit la chose, se contenta de reprendre l'autre. De toute façon c'est moi qui le remplace temporairement, en attendant une nouvelle nomination. Probablement un Anglais de l'Ontario ou d'ailleurs, encore une fois!

— Et Moineau? Et Bobet? reprit avec une certaine gêne Ludger, qui cédait enfin à la question qui lui brûlait les lèvres.

— Moineau et Bobet ne sont plus avec nous.
— Où sont-ils alors?

— Congédiés, mon vieux! Congédiés! reprit Pelletier avec gaieté. Ah, je t'assure qu'ils ne l'ont pas volé. Si tu savais!

Et changeant d'à-propos, il reprit sur le ton de quelqu'un qui se refuse à en dire davantage:

— Tiens, assieds-toi à mon ancien bureau, en attendant. Il est libre. Tu m'excuseras, j'ai du travail.

Il le laissa, puis revint aussitôt sur ses pas pour ajouter tout bas à l'oreille de Ludger:

— M. Baxter t'expliquera tout lui-même. Je sais qu'il doit te faire demander ce matin.

Il regagna ensuite sa place et s'absorba dans son nouveau travail, ainsi qu'il l'avait dit. Ludger s'assit, ou plutôt se laissa tomber sur le siège qui lui avait été désigné. Il était atterré. Il cherchait à comprendre ce qui s'était passé. Il considéra en silence, d'un œil absent, toutes ces échines, toutes ces nuques penchées sur un travail de copie, de calcul ou de vérification et qui, vues d'un nouvel angle, sous l'éclairage de cette situation neuve, lui paraissaient étrangères, inconnues, presque à redécouvrir.

Et ces trois nouveaux qui venaient inopportunément brouiller un paysage jusque-là si bien établi, si bien figé dans ses limites et dans sa perspective, qui le déséquilibraient par rapport à ce qu'il en avait toujours connu? Ludger ne voyait plus rien, ne comprenait plus rien. Tout se brouillait devant ses yeux, tout se confondait, tout tendait à l'incohérence. Et lui? Qu'allait-on faire de lui puisque sa place était maintenant prise par ce jeune homme à l'air appliqué, et dont l'inexpérience crevait les yeux? Il n'osait non plus se demander ce qui était advenu de Moineau et de Bobet qui paraissaient les seuls à avoir été cette fois la cible des représailles de la compagnie.

Il en était là de ses réflexions quand la voix de la téléphoniste retentit, métallique et rêche, à travers les rets de l'intercom.

— M. Lamarre? Vous êtes demandé immédiatement dans le bureau de M. Baxter.

Ludger se leva et vit qu'on le regardait de partout. Il redressa alors la taille et prit un air résolu. Il poussa calmement la porte et s'engagea, très maître de lui, dans le couloir qui menait au saint des saints.

7

Il est maintenant cinq heures.

Hermine ne va pas tarder à venir le chercher, ne serait-ce que pour lui faire le vain récit de ses courses de l'après-midi dans les grands magasins de l'ouest de la ville.

Car ces proches vacances seront les vacances de sa vie, celles qu'il n'a jamais pu prendre jusque-là, celles dont pourtant il rêve depuis si longtemps. Serait-ce sur les plages blanches du Maine, grouillantes de chairs bronzées tassées en rangs serrés, ou sur les bords tranquilles d'un lac bleu du New Hampshire, bordé de chalets peints de couleurs vives? Cela n'était pas encore décidé entre eux, Hermine inclinant pour les bains de mer, Ludger marquant une nette préférence pour les lacs étales, entourés de conifères et de bouleaux avec, en surélévation, les cimes blanches des montagnes.

Il serait bon prince, pour une fois, et laisserait à Hermine le choix final. Elle l'avait bien mérité. Car il se le rappelait encore, c'était elle qui, l'hiver dernier, au moment où il allait tout lâcher, l'avait relancé sur la voie de la chance, une chance qu'il n'avait pas été loin de juger mauvaise, mais au sujet de laquelle il n'était plus ni si catégorique ni si sévère, maintenant qu'il en avait fait son profit.

Il fallait avouer que la compagnie avait été à son endroit d'un chic qui l'avait amené à reviser entièrement son jugement à l'égard de la façon de voir de M. Baxter. Peut-être, dans le passé, la compagnie avait-elle eu ses raisons d'agir comme elle l'avait fait? Ces raisons, il ne pouvait les comprendre alors, étant employé subalterne, donc sujet à critiquer sans savoir exactement le fond des choses. À la lumière de sa situation nouvelle, Ludger se demandait aujourd'hui si les torts s'étaient toujours trouvés infailliblement du même côté, ainsi qu'il l'avait cru longtemps.

Voici plus de cinq mois maintenant qu'il occupait le bureau de Marois, tombé en disgrâce pour n'avoir pas su prévoir la malheureuse tentative de Moineau et de Bobet. Non seulement M. Baxter avait consenti à passer l'éponge sur son adhésion inconsidérée à la formation d'un syndicat à la compagnie, mais il avait enfin reconnu ses mérites personnels, et il lui avait finalement accordé ce poste de confiance qui lui était promis depuis si longtemps, en lui offrant presque sur un plateau la succession de Marois. Et de surcroît on lui avait attribué ce qui avait toujours été refusé à son prédécesseur: un bureau particulier qui l'isolait des autres et de ce fait lui donnait sur eux un ascendant qui avait accru le prestige attaché à ses fonctions. Sa nomination, venue à la façon d'une surprise, avait bien soulevé parmi ses anciens camarades quelques rancœurs dont certains ne lui avaient pas fait mystère, on avait même été jusqu'à parler de représailles, mais en définitive, comme lorsqu'il avait pris un congé de maladie sur l'ordre de M. Baxter, il ne s'était rien produit. Il en avait été quitte pour la peur et les choses en étaient restées là.

Les employés du service venaient de quitter le travail. La plupart, et principalement les nouveaux, étaient venus le saluer, quelques-uns s'abstenant encore de le faire pour des raisons que Ludger mettait sur le compte de la jalousie personnelle.

Le bruit de leurs conversations s'était éteint. Leurs dernières salutations échangées, le bureau était retombé dans le silence plat des fins de journée. Mais voici qu'on causait à voix indistincte dans le couloir. Sans doute Hermine, devenue plus jacassante depuis quelque temps, et qu'il s'attendait à voir pénétrer dans son bureau les bras chargés de colis...

Mais ce n'était pas Hermine.

Était-ce possible? Lui ici? Avait-il bien entendu?

Ludger se leva avec précipitation et ouvrit la porte. Il resta stupéfait, sur le seuil, incapable d'articuler une parole. Tout au fond du couloir, vis-à-vis du saint des saints, Pamphile prenait congé de M. Baxter qui lui serrait la main avec une franche cordialité. S'il pouvait s'attendre à ça!

Instinctivement, Ludger recula, mais il était trop tard. Pamphile l'avait aperçu et venait à grands pas vers son cousin, le sourire large, la voix sonore.

— Alors, ça va? À mon tour de venir voir ton installation!

— Entre.

Ils s'assirent sur un angle du bureau, vidé depuis peu du travail de la journée.

— Qu'est-ce que tu as à me regarder comme ça?

Pamphile dissimulait mal un certain embarras. Après un moment d'hésitation, il retrouva vite son assurance un moment égarée. Il était prêt à tout: il en avait vu d'autres depuis son entrée dans la politique active.

— Je ne savais pas que tu connaissais M. Baxter?

— Bien sûr que oui! Je t'avais pas dit?

— Non.

Pamphile se rapprocha. Il heurta de l'index l'épaule de son cousin, prit un air grave, puis commença sur le ton des intimes confidences:

— Je l'ai rencontré pour la première fois au banquet de célébration de notre victoire. Cela t'étonnera pas quand je t'aurai dit, tout à fait entre nous, que la compagnie a fourni des sommes importantes à notre caisse, pendant la dernière campagne électorale. Je t'en avais jamais parlé dans le temps, mais maintenant il y a plus de danger à ça. Tu te rappelles que je t'avais mis en garde lorsque tu m'avais parlé de ton syndicat? Tu comprends, tant que la compagnie sera comme ça avec le gouvernement, aucun nouveau syndicat pourra s'implanter chez vous.

— Je pense bien.

— Et quand j'ai fait la connaissance de M. Baxter, j'en ai profité pour lui parler de toi…

— De moi?

— Oui, de toi. Je lui ai dit que tu méritais mieux que ce que tu avais à la compagnie et je lui ai mentionné que tu ferais un bon chef de bureau, si jamais Marois venait à être déplacé. Quand, quelques semaines après, j'ai été nommé ministre, je suis revenu à la charge et cette fois il a pas pu me refuser ça, d'autant plus qu'on venait de lui proposer d'être membre de la Commission des relations industrielles de la province, et qu'il a accepté! Alors tu comprends, l'affaire était gagnée!

Pamphile s'arrêta, étonné de l'air de détresse qui se lisait sur le visage de Ludger.

— Mais qu'est-ce que tu as? T'es pas content que j'ai fait ça pour toi?

— Je n'ai rien, finit par dire Ludger, tête baissée. Je commence seulement à comprendre certaines choses. Tu vas dire que c'est bête, mais imagine-toi qu'après vingt ans de service à la compagnie, je m'étais illusionné. Je croyais que c'était uniquement à cause de mes mérites personnels que…

Pamphile l'interrompit avec vivacité:

— Oui, bien sûr, il y a aussi tes mérites personnels. M. Baxter a été le premier à les reconnaître quand je lui ai parlé de toi. T'as pas à t'inquiéter là-dessus. Mais ce que je voulais te dire, c'est que si ça avait pas été du coup de pouce du cousin Pamphile, donné au bon moment, j'ai bien peur que c'est encore un Anglais qui aurait eu la place du pauvre Marois. J'aime autant que tu le saches, d'abord pour montrer que, même ministre, je t'ai pas oublié, ensuite parce que tu aurais fini par l'apprendre, un jour ou l'autre. Mais je te répète que M. Baxter apprécie quand même beaucoup tes mérites. Comme je te dis, moi, j'ai rien fait que donner le coup de pouce.

— Et le bureau particulier, c'est aussi à ton influence que je le dois?

— Oh, ça, c'était rien qu'une suggestion, mais je suis content de voir qu'elle a été acceptée et que tu en profites.

Il se leva, rectifia le nœud de sa cravate et consulta sa montre d'un geste pressé.

— Eh bien, moi, je me sauve. J'étais juste venu causer de choses et d'autres avec M. Baxter. Le premier ministre m'a demandé de le consulter sur une loi ouvrière que le gouvernement présentera à la prochaine session. Naturellement, je peux pas t'en dire plus long pour le moment!

Il tendit à Ludger une main indifférente.

— Tu viendras me voir? Tiens, j'aperçois justement ta femme, là-bas, qui a l'air de t'attendre. Salut, vieux!

Il s'éloigna, refoulant au fond de sa conscience, un brin de mécontement contre lui-même. En s'en allant, il se demandait s'il n'aurait pas mieux fait de garder pour lui ce qu'il savait des circonstances de la nomination de Ludger. Une fois encore, la vanité l'avait emporté chez lui sur la perspicacité. Ce léger trouble, heureusement, ne durerait pas et s'envolerait dans la fumée du prochain cigare. Après tout, qu'est-ce que cela pouvait bien faire, du moment que le cousin avait la place? C'est ce qui importait, au fond?

Ludger le regarda un moment s'en aller. Il lui semblait à nouveau que tout se brouillait devant lui, comme aux pires jours d'angoisse. Pourtant Hermine était là à son côté, et il ne paraissait pas la voir. Il se sentit secoué vivement par le bras.

— Qu'est-ce qui te prend? Tu ne vas pas faire la toile, toujours?

— Non, rassure-toi, ce n'est rien. Une grosse journée de travail au bureau, rien de plus. Et avec cette chaleur!

Elle le considéra d'un œil soupçonneux.

— Ce n'est pas encore Pamphile, toujours, qui t'a mis dans cet état?

— Qu'est-ce que tu vas chercher là! Non, ce n'est pas Pamphile.

— Ah, j'aime mieux ça! Va pas te brouiller avec lui. Tu sais, on peut en avoir encore besoin!

— Je sais, se contenta-t-il de répondre.

Elle lui prit le bras et ils sortirent.

En mettant la porte sous clef, Ludger songea qu'il lui fallait ne pas oublier, dès son arrivée le lendemain matin, de se débarrasser du cahier qu'il dissimulait depuis quelques mois, sous une pile de documents, tout au fond de son bureau. Désormais, ce cahier, où il avait eu la fatuité de vouloir consigner quelques étapes de ce qu'il avait appelé l'évolution de sa situation personnelle, ne valait pas la peine d'être conservé. Désormais il n'avait pour lui aucun sens...

Montréal, novembre 1957
Paris, mai 1960

JEAN HAMELIN

Jean Hamelin est né à Montréal en novembre 1920. Après des études de langue et de littérature espagnoles, il travaille quelques années comme traducteur, notamment à *La Presse* où il devient par la suite rédacteur et critique littéraire, de 1948 à 1963. Au cours de la même période, il assume également la direction des pages artistiques du *Petit Journal* (1953-1958) et du *Devoir* (1961-1964). Après avoir été conseiller culturel à la Délégation générale du Québec à Paris (1964-1969), il est nommé directeur de la Coopération avec l'extérieur au ministère des Affaires culturelles, à Québec, où il meurt le 2 octobre 1970.

BIBLIOGRAPHIE

Les occasions profitables, roman,
   Écrits du Canada français, vol. X, 1961.

Le renouveau du théâtre au Canada français,
   Éditions du Jour, 1962.

Le théâtre au Canada français,
   Ministère des Affaires culturelles, 1964.

Nouvelles singulières, nouvelles,
   Éditions HMH, 1964.

Un dos pour la pluie, roman,
   Librairie Déom, 1967; Éditions Les Herbes rouges,
   1988.

Les rumeurs d'Hochelaga, récits,
   Hurtubise HMH, 1971.

TABLE

COLLECTION DE POCHE TYPO

43. Réjean Bonenfant, Louis Jacob, *Les trains d'exils*, roman, postface de Louise Blouin (l'Hexagone)

44. Berthelot Brunet, *Le mariage blanc d'Armandine*, contes (Les Herbes rouges)

éditions LES HERBES ROUGES

André Beaudet, *Littérature l'imposture*
Germaine Beaulieu, *Sortie d'elle(s) mutante*
Claude Beausoleil, *Motilité*
Normand de Bellefeuille, Roger Des Roches, *Pourvu que ça ait mon nom*
Normand de Bellefeuille, *Le livre du devoir*
Normand de Bellefeuille, Hugues Corriveau, *À double sens*
Normand de Bellefeuille, *Heureusement, ici il y a la guerre*
Louise Bouchard, *Les images*
Louise Bouchard, *L'inséparable*
André-G. Bourassa, *Surréalisme et littérature québécoise*
Nicole Brossard, *La partie pour le tout*
Nicole Brossard, *Journal intime*
Berthelot Brunet, *Les hypocrites*
Normand Canac-Marquis, *Le syndrome de Cézanne*
Paul Chamberland, *Genèses*
François Charron, *Persister et se maintenir dans les vertiges de la terre qui demeurent sans fin*
François Charron, *Interventions politiques*
François Charron, *Pirouette par hasard poésie*
François Charron, *Peinture automatiste* précédée de *Qui parle dans la théorie?*
François Charron, *1980*
François Charron, *Je suis ce que je suis*
François Charron, *François*

Marcel Labine, *Papiers d'épidémie*
Monique LaRue, *La cohorte fictive*
Roger Magini, *Saint Cooperblack*
Roger Magini, *Un voyageur architecte*
Carole Massé, *Dieu*
Carole Massé, *L'existence*
Carole Massé, *Nobody*
Carole Massé, *Hommes*
Pol Pelletier, *La lumière blanche*
Claude Poissant, *Passer la nuit*
André Roy, *L'espace de voir*
André Roy, *En image de ça*
André Roy, *Les passions du samedi*
André Roy, *Les sept jours de la jouissance*
André Roy, *Action Writing*
Jean-Yves Soucy, *La Buse et l'Araignée*
Patrick Straram le bison ravi, *One + one Cinémarx &
    Rolling Stones*
Téo Spychalski, *Un bal nommé Balzac*
France Théoret, *Une voix pour Odile*
France Théoret, *Nous parlerons comme on écrit*
France Théoret, *Entre raison et déraison*
France Théoret, *L'homme qui peignait Staline*
Laurent-Michel Vacher, *Pour un matérialisme vulgaire*
Lise Vaillancourt, *Marie-Antoine, opus 1*
Lise Vaillancourt, *Journal d'une obsédée*
Roger Viau, *Au milieu, la montagne*
Yolande Villemaire, *La vie en prose*
Yolande Villemaire, *Ange amazone*
Yolande Villemaire, *Belles de nuit*
Josée Yvon, *Travesties-kamikaze*

*Cet ouvrage composé en Times corps 10
a été achevé d'imprimer sur les presses
de l'Imprimerie Gagné à Louiseville
en mars 1990 pour le compte des
Éditions Les Herbes rouges*

Imprimé au Québec (Canada)